Le Retour du Prophète

Hajjar Gibran

Le Retour du Prophète

Traduit de l'anglais (États-Unis)
par Zéno Bianu

Flammarion

À ma mère,
qui m'a transmis l'héritage de Gibran.

À ma famille, à mes amis,
à mes maîtres,
qui m'ont guidé à travers
les brumes du doute
afin que je puisse semer
ces graines d'amour.

Et plus particulièrement à toi,
qui chéris l'esprit du prophète Khalil
et gardes toujours une place pour lui
au fond de ton cœur.

La Promesse

S i ma voix devait un jour s'évanouir de vos *oreilles, et mon amour s'effacer de votre mémoire, alors je reviendrai.*

Et je parlerai, avec un cœur plus généreux et des lèvres plus soumises à l'esprit.

Oui, je reviendrai avec la marée...

Si ce que j'ai dit est vrai, cette vérité jaillira d'une voix plus claire, en des paroles plus proches de vos pensées...

Et si ce jour ne voit pas l'accomplissement de vos vœux et de mon amour, qu'il soit alors la promesse d'un autre jour...

Sachez-le, du plus profond silence je reviendrai...

Juste un instant, un simple moment de repos sur le vent — et une autre femme me mettra au monde.

Khalil Gibran, *Le Prophète*
(extrait du chapitre final)

INTRODUCTION

Le jour où mon frère est mort, mon père a sangloté. Et j'ai gardé le silence pendant des années.

Quelque temps après sa mort, ma mère me rejoignit au fond de ma léthargie et déposa un exemplaire du *Prophète* sur mon oreiller. Je l'ouvris et j'en lus les premiers mots : *Almustafa, l'élu et le bien-aimé, celui qui fut l'aurore de son propre jour...* Mais je fus incapable de prononcer correctement le nom *Almustafa,* et encore moins de comprendre les mots qui suivaient.

Alors, j'ai mis le livre de côté et je l'ai oublié.

Mais commençons par le commencement...

Mon frère Gary était pour moi un héros. Il avait un an de plus que moi, et j'accompagnais chacun de ses pas. Nous courions toujours ensemble, main dans la main, sur les rondins du jardin potager qui séparait notre cour de celle de nos grands-parents. Notre ruelle débouchait dans une forêt grouillant d'oiseaux et d'écureuils. Gary et moi, nous construisions des forteresses avec de simples bouts de bois et nous faisions courir des chenilles dans les fourrés. Comme les cordes de deux cerfs-volants s'élevant dans la brise d'été, nos deux lignes de vie formaient une inextricable unité.

Gary était aussi mon rival complice. Nous nous battions souvent et, quoiqu'il fût bien plus fort que moi, il ne me faisait jamais mal. Avec moi, il se défendait toujours mollement. Je me jetais sur lui en rassemblant toute mon énergie, et lui, avec une patience inébranlable, il me laissait m'épuiser. Sa force paisible me rassurait.

À l'approche de l'adolescence, cherchant tous deux les signes de notre jeune virilité, nous étions devenus inséparables.

Pourtant, le jour où mon père prêta son fusil à Gary pour lui apprendre à tirer, je regardai mon frère d'un œil un peu envieux. Je ne savais pas encore que cette leçon de tir serait la cause de notre malheur.

Quelque temps plus tard, alors qu'il chassait le lapin avec un ami, Gary glissa sur une plaque de glace et laissa tomber son fusil qui, en touchant le sol, lui transperça le cœur d'une balle.

Dans cet éclair inconcevable, sa vie fut soufflée comme une chandelle.

Sans lui, plus rien n'avait de sens.

Notre famille était sous le choc, mais c'est à peine si je m'en rendais compte : ma détresse était insupportable. J'étais comme anesthésié, incapable de parler ou de pleurer. À la maison, je préférais me retirer dans la chambre que nous partagions, bien qu'elle ne fût plus qu'un cimetière de souvenirs. Nous avions des lits superposés. J'avais l'habitude de m'allonger sous sa couchette pour lui donner de grands coups de pied. Et quand je le poussais trop fort, il sautait de son lit avec un grand sourire, me plaquait au sol et me chatouillait. À présent, je restais allongé, fixant des yeux la couchette de Gary – où ne pesait plus que le poids de son absence.

Je n'osais plus regarder les gens en face de peur qu'ils ne voient mon chagrin. Je parlais peu, et pourtant j'occupais tout mon temps pour ne plus penser à ma souffrance. Je rêvais de jolies filles et de cabriolets, mais tout cela ne faisait qu'entretenir mon désespoir. Je commençai alors à me fourvoyer, dilapidant ma vie entre dignité perdue, voitures de course et bagarres d'alcooliques.

Un jour, au milieu de cette existence chaotique, il se passa quelque chose d'étrange. Dans mon cours de psychologie, à l'université, durant un exercice de visualisation dirigée, une scène très claire apparut devant mes yeux : je conduisais ma voiture sous une pluie fine, par un beau jour d'été. Devant moi, tout à coup, la route tourna abruptement – ma voiture glissa dans un fossé et se renversa, comme au ralenti. Je fus éjecté, et atterris au milieu d'une forêt d'arbres morts. J'entendis le fracas du pare-brise, un hurlement douloureux – et soudain tout devint noir. L'instant d'après, j'étais debout sur la route. Je regardais la vapeur s'échappant de mon véhicule accidenté, qui reposait parmi les éclats de bois et les branches des buissons. La silhouette fantomatique d'un homme apparut alors, dominant ma dépouille. Gary ? Je m'approchai. Non, cet homme était plus vieux et il portait une moustache. Il se tourna vers moi, accrochant mon regard de ses yeux pénétrants.

C'était une expérience d'une réalité obsédante. Certes, je ne savais pas qui était cet homme, mais son visage me semblait étrangement familier. Était-ce une prémonition ? Étais-je sur le point de mourir ? Je savais que ma vie ne m'appartenait plus. Bien sûr, je voulais vraiment changer, mais je n'avais pas encore le pouvoir de le faire.

De l'alcool je passai aux drogues, et, telle une âme égarée qui ne prie plus, je sombrai dans la spirale de l'autodestruction.

Une nuit, après une bagarre avec un garçon qui m'avait volé ma petite amie, je me retrouvai en prison. Dans la cellule sans fenêtre, j'étais assis sur le bord froid d'un lit métallique, la tête pendante, regardant fixement l'orifice d'évacuation au milieu du sol.

Mon cerveau était entièrement sous l'emprise du LSD.

La cellule se mit soudain à tanguer comme un bateau pris dans l'œil d'un cyclone. J'essayai tant bien que mal de fermer les yeux pour échapper à cette vision, mais mon espace intérieur n'était plus qu'un tourbillon m'aspirant au fond de l'abîme.

Une douleur violente dans l'estomac me tordit jusqu'à me projeter au sol. Je me traînai jusqu'aux toilettes et tentai de me soulever convulsivement. Épuisé, je m'effondrai à nouveau par terre et j'ouvris grand les yeux. Alors que je commençais lentement à perdre conscience, la silhouette d'un homme avec une moustache se dressa au-dessus de moi, entourée d'une étrange lumière.

« Qui êtes-vous ? Que voulez-vous ? » murmurai-je. Chaque cellule de mon corps était en effervescence.

Une voix qui semblait provenir de très loin me répondit :

Viens vers moi.

À ce moment précis, j'eus l'impression que mon âme s'en allait, comme si on l'avait tirée à travers le sommet de mon crâne. Je commençai à perdre pied, persuadé que j'allais mourir.

Le bruit de lourdes clés tournant dans la serrure de la cellule me réveilla. La porte de ma cage s'ouvrit et un agent de police m'ordonna : « Lève-toi, tes parents sont là. »

Je parvins à m'extraire peu à peu du sol de béton et tentai de me redresser, mais j'avais la tête qui tournait. Perdant à nouveau l'équilibre, je rassemblai mes forces pour m'agripper au mur, mais je tombai aussitôt sur le cadre du lit. Ma main droite était enflée, sanguinolente, avec des plaies sur les jointures. Mes vêtements étaient sales, tachés de vomissures. J'hésitais, j'avais peur d'affronter mes parents.

17

Je finis par me lever, me nettoyai un peu et suivis le policier dans la salle d'attente. Lorsqu'elle me vit, ma mère sursauta. Mon père lui passa un bras autour de la taille et dit avec froideur : « Viens, fils. Rentrons à la maison. »

Sur la route du retour, il jura furieusement à voix basse : « Est-ce que tu veux vraiment foutre ta vie en l'air ? »

J'avais honte. Je penchai la tête et restai silencieux.

Une fois arrivé à la maison, je me lavai, allai directement dans ma chambre et fermai la porte. Le sang me battait dans les tempes, ma gorge était sèche et chaque muscle de mon corps me faisait mal. Je me laissai tomber sur le lit, à plat ventre, et me recroquevillai dans l'angle que formait le matelas avec le mur pour me protéger de la lumière du jour.

Quelques heures plus tard, maman rentra dans la chambre, s'assit à côté de moi et posa sa main sur mon dos. « Le dîner est prêt. » Elle agrippa nerveusement mon épaule. Je me retournai légèrement et vis que ma chambre avait pris une teinte orangée sous les rayons du soleil couchant. Je ne répondis pas. « Tu sais, dit-elle, il n'est pas trop tard. Tu peux encore repartir du bon pied. N'est-il pas temps pour toi d'apprendre la différence entre le bien et le mal ? »

Elle me passa la main dans les cheveux comme elle le faisait quand j'étais enfant. « Tu es libre de choisir entre le bien et le mal, murmura-t-elle. Non, il n'est pas trop tard. » En réalité, elle ne comprenait pas. Depuis que Gary était parti, je me fichais éperdument de ma vie.

Maman soupira et se leva. Je l'entendis farfouiller dans ma bibliothèque. Elle s'assit à nouveau et me lut quelques lignes à voix haute, mais je ne pouvais plus l'entendre – comme si une trompette plaintive jouait au fond de ma tête. Elle cessa alors de lire, resta assise calmement pendant quelques minutes et s'en alla.

Alors que je me tournais pour contempler la lumière pâlissante, le livre qu'elle avait tenu tomba sur le sol. Je regardai la couverture – et je crus être victime d'une hallucination. Sur cette couverture, oui, c'était l'homme à la moustache, l'homme de mon rêve sur la route, celui que j'avais vu en prison. J'ouvris le livre et je lus :

« ... si vous saviez tenir votre cœur émerveillé devant les miracles quotidiens de votre vie, votre souffrance ne vous apparaîtrait pas moins merveilleuse que votre joie... »

Je refermai le livre et contemplai à nouveau, déconcerté, le portrait de l'homme à la moustache. Une étrange sensation remonta le long de ma colonne vertébrale, et mon corps tout entier se mit à fourmiller, comme piqué par mille aiguilles. Je m'assis, mais j'étais trop troublé pour pouvoir donner un sens à tout cela. Une fois encore, j'ouvris le livre au hasard, et mon regard tomba sur une autre ligne :

« De la même façon qu'il vous couronne, l'amour vous crucifiera... »

Ces mots se répercutèrent en moi jusqu'à résonner dans mon cœur silencieux. Le livre à la main, je me rendis à la cuisine.

« Maman, qui est-ce ?

— C'est ton grand-oncle, Khalil. Tu devrais lire ce livre – c'est une merveille. »

Je me préparai un repas léger dans une assiette et retournai dans ma chambre en compagnie du *Prophète*.

Refermant la porte derrière moi, je feuilletai les pages au hasard jusqu'à ce que la nuit vienne. Au-dehors, le vent rugissait. Un éclair fut suivi d'un violent coup de tonnerre qui fit trembler la maison – et la pluie commença à tomber.

Je contemplai cette pluie qui s'accumulait sur le haut de la fenêtre et coulait le long des carreaux. Mes yeux se gonflaient de larmes. Comme pris de convulsions, je laissai soudain éclater l'orage qui grondait en moi.

Pour la première fois depuis la mort de Gary, je m'ouvris, et je pleurai.

Plus je pleurais, plus je priais ; je priais Gary, je priais Dieu, et l'homme mystérieux à la moustache. Une lumière emplit la chambre – à ce moment-là, il se passa quelque chose... quelque chose qui allait me changer pour toujours.

Depuis cet instant, je n'ai jamais cessé de prier. J'ai prié au sommet des montagnes, dans l'obscurité quand j'étais perdu, et à l'aube de chaque nouveau jour.

Ce livre raconte comment mes prières ont été exaucées à travers une série d'épisodes prophétiques qui m'ont révélé l'objectif secret de ma vie.

Hier, suspendu entre l'aube et le crépuscule, je cherchais à comprendre le mystère de l'existence. Je pensais que ma vie n'était qu'un tremblement sur la flamme de l'éternité, un grain de poussière balayé par les vents de la conscience.

Aujourd'hui, je fais l'expérience directe et merveilleuse d'une présence qui connaît mes désirs – je dois à présent l'admettre – mieux que je ne les connais moi-même.

Des années durant, j'ai senti vibrer en moi un appel – mais je doutais toujours de cette vérité que j'allais découvrir, et dans mon doute je souffrais. J'étais un homme blessé, un homme qui rêvait d'amour, mais qui n'était pas prêt à devenir celui qu'il voulait être.

À présent, ce rêve a grandi jusqu'à façonner le cœur de ma vie et ébranler les fondements mêmes de mon identité.

Alors que je n'avais pas conscience de mon évolution et que je me lamentais sur les difficultés de mon accomplissement, je fus un jour saisi d'un sentiment exaltant – une joie à la fois exubérante et subtile. Celui qui priait avait été soudain happé vers l'intérieur de lui-même par l'immensité de celui qui lui répondait.

Pour finir, ma quête me conduisit jusqu'à la tombe de mon grand-oncle, là-haut, dans les montagnes du Liban. Un jour que j'étais assis en silence dans le monastère où repose le corps de Khalil, je fus submergé par l'émotion : j'étais revenu chez moi.

Plus tard, alors que je m'attachais à décrire ces expériences déroutantes, ma main fut guidée par une présence, invisible quoique familière. J'assistai à l'émergence de mots qui jaillissaient naturellement du plus profond de moi, mais dans une langue qui n'était pas la mienne. Aujourd'hui encore, je reste fasciné quand je vois mon stylo glisser ainsi.

La plus grande partie de ce qui m'est transmis surgit sous la forme d'impressions à la fois profondes et nuancées. Et c'est avec un respect mêlé de crainte que je veux témoigner ici de ces épiphanies.

Je partage mon histoire avec vous parce que je crois profondément que c'est aussi la vôtre. À dire vrai, le prophète représente l'esprit d'amour qui vit en chacun de nous. Et je voudrais que ce livre puisse nourrir notre fonds commun.

Je vous offre cette parabole de l'éveil fondée sur mon voyage. Puisse-t-elle faire jaillir une révélation dans votre cœur et y allumer le feu de l'amour !

L'AURORE

L'amour m'avait rêvé. Il avait réuni la poussière et la rosée pour m'accueillir dans un nouveau corps. Les tours avaient presque disparu de ma mémoire – dissipées dans la résurrection de mon innocence.

Je renaissais au milieu des ombres crépusculaires d'un monde en guerre avec lui-même. Après une nuit sombre et tragique pour l'humanité, le temps d'une nouvelle aurore était venu. Mon cœur était un chant de joie, un torrent prêt à jaillir.

Beaucoup de gens percevaient une lumière dans mes yeux. Pourtant, mon éveil n'était pas accompli, et mon innocence s'égarait encore dans un labyrinthe de peurs et de désirs. Alors que les heures, les jours et les semaines consumaient ma jeunesse, je luttais pour trouver la paix dans un monde implacable.

Mon âme se faisait l'écho de l'âme de l'humanité et de son incessante lamentation.

Celle des multitudes affligées, tenues sous le joug par des hommes au cœur de pierre.

Celle des millions d'enfants dépossédés, oubliés sur des routes encombrées ne menant plus nulle part.

Celle du bavardage hypocrite des seigneurs de la guerre, qui se servent de leur dévotion comme d'une arme, mutilant les innocents et les abandonnant à leurs cris de terreur.

Là-haut, dans un ciel assombri, les juments de la nuit se cabraient. J'avais peur et je tremblais devant la noirceur des temps à venir.

Je remettais en question les représentants d'une autorité injuste, mais du même coup, je fermais mon cœur à la venue d'une Puissance Supérieure. Au fond de moi, la négation se dressait comme un spectre noir. J'avais perdu la joie, et j'en souffrais en silence.

J'avais faim d'amour et soif de sagesse. Je brûlais pour la liberté, je voulais atteindre le sommet de mes possibilités. Il me fallait déchirer l'enveloppe obscure de mon inconscient, pareil à une force piégée à l'intérieur d'un noyau.

Ma jeunesse prenait fin, et mon chagrin n'en était que plus oppressant.

Depuis ma naissance, j'avais baigné dans la chaleur dispensée par mon frère aîné. Depuis le jour tragique de sa mort, je n'avais cessé de chuter.

Je n'étais plus qu'une réserve de larmes refoulées – et je tombais en spirale...

Défait.

Désenchanté.

Privé d'espoir, je ne savais comment extirper cette boule de chagrin qui pesait dans mon estomac. Je n'étais plus qu'une angoisse sourde, luttant contre les trompettes harcelantes de la rage, de la terreur et de la détresse.

Je portais ma douleur comme une cape poisseuse à travers les cachots du déni. Dans ce trou d'enfer, aucune fenêtre pour la beauté... Rien d'autre qu'une rigole menant vers un égout par lequel je descendais... Glissant dans un abîme de misère, condamné à tourner en rond.

Je ne pouvais plus supporter ce chagrin... jusqu'à ce que tout se rompe. Jusqu'à ce que s'ouvrent les écluses.

Emporté par une lame de fond, je suppliai le gardien de mon âme :

« Aide-moi, je t'en prie. Enveloppe-moi de ton réconfort. Arrache-moi à cette misère. Garde-moi dans ton étreinte. Baigne-moi dans ta lumière. »

Devant mes yeux embués, une vive clarté envahit la pièce et m'entoura de sa chaleur. Comme hypnotisé, je me tournai vers elle – et j'entendis la voix d'un ange :

Le puits d'amour qui abreuve ton jardin s'emplit parfois de larmes.
Et cela est bon, car nulle eau n'est plus précieuse que ces gouttelettes versées lors de tes moments d'abandon.
Les larmes sont les semences de joie répandues par le médecin de ton âme.

Tu peux certes maudire les remèdes de ce médecin, mais la guérison de ta souffrance, tu la trouveras dans tes larmes mêmes.

Pleure, oui, pleure jusqu'à ce que des graines de joie s'enracinent en toi.

Bénis ton chagrin, car il attendrit la carapace recouvrant ton cœur démuni. Rends-toi à la douleur, car tu dois ôter ton armure pour exposer ta force innocente.

Je voudrais que la joie accompagne cette innocence. Mais que serait une joie qui ne connaîtrait pas la souffrance ? En vérité, tu as besoin de la souffrance. À mesure que tes désirs s'estomperont, la joie te soulèvera de bonheur et te conduira vers ton centre d'amour.

Sois patient, parce que seul le temps sait chasser les larmes d'un coup d'aile.

Ta souffrance, c'est ton besoin d'amour. Et je suis l'amour dont tu as besoin.

Désaltère-toi à ma source, jusqu'au jour où ton cœur deviendra une fontaine — une fontaine où pourront boire tous ceux dont les rêves d'amour se sont brisés.

Stupéfait, je me frottai les paupières. Mes yeux papillotaient dans la lumière aveuglante. Je vis alors la silhouette fantomatique d'un homme qui se dressait devant moi. Effrayé, je restai sur mes gardes et murmurai :

« Mon cœur est sens dessus dessous, le chagrin me submerge. Qui es-tu pour me parler d'amour en ces instants de souffrance ? »

Le messager me répondit :

Innombrables sont mes noms, mais je n'ai ni nom ni forme. Et pourtant, j'apparais toujours devant toi sous une forme qui t'attire vers moi. Je suis l'esprit qui pulse dans le cœur de tous les êtres.

Comme la graine à l'intérieur du fruit, je détiens les secrets de la vie depuis l'aube de la création.

Ta souffrance, c'est une graine qui se craquelle, la graine qui contient ton moi profond.

Seul le conflit te permet d'étendre les frontières de ton être.

Comme le papillon se tortillant pour sortir de sa chrysalide jusqu'à pouvoir voler, ton voyage est une métamorphose de l'âme.

Animé par une pulsion de vie ancestrale, tu renais encore et encore, jusqu'à ce que, un jour, tu puisses t'envoler sur les ailes de l'amour.

Tout comme tu revis de saison en saison, je demeure avec toi à travers des éternités de renaissance.

À mesure que l'apparition se dessinait sous des contours plus nets, je sentais la présence de mon frère, mais sous la forme d'un homme plus âgé que je n'avais rencontré qu'en rêve. Et il poursuivit :

Je suis venu te guider à travers cette nuit de détresse, je suis venu pour que tu voies au-delà de ton esprit embrumé et de ton cœur troublé.

Quoique ton frère ait disparu, son esprit vit toujours.

L'amour que vous partagez échappe aux grandes marées du temps.

Toi et lui, vous demeurez ensemble dans un royaume invisible où vous connaissez ce que vous ne pouvez connaître ici-bas.

Comme tu n'as cessé de renaître, ainsi renaîtra-t-il.

Les terribles circonstances de sa mort ont laissé dans ton cœur une plaie béante, et ta détresse a couvert de son ombre l'héritage qu'il t'a transmis.

Mais sa transformation t'oblige à grandir dans la compassion et à accomplir ton destin.

Tu es ici pour imprégner de compassion ce monde embourbé dans la matière.

À travers cette épreuve douloureuse, tu en viendras à considérer l'humanité tout entière comme tu considérais ton frère.

Car ton amour pour lui n'est qu'une petite partie de l'immense amour assoupi en toi.

C'est en cet instant même, dans cette heure la plus sombre, que tu peux accéder vraiment à l'amour. Là, quand tout semble perdu.

Comment pourrais-tu briller de tout ton éclat sinon dans un monde qui t'offre moins pour que tu sois plus ?

Ta lumière se révèle par l'obscurité qu'elle dissipe.

LA CROYANCE

Avant que cette lumière m'apparaisse, mon seul horizon était celui des nourritures terrestres. À présent, je cherchais un soutien apte à transcender tous les horizons.

Avant, je trouvais le réconfort auprès de ma famille et de mes camarades – mais dans une telle recherche, il n'y avait plus de réconfort possible.

Avant que le prophète ne s'adresse à moi personnellement, je m'étais résigné à être le jouet du destin.

Je pensais que Dieu était un roi inconnaissable sur un trône inaccessible, une puissante fiction à laquelle je pouvais adresser des prières pour étancher ma soif – et devant laquelle je ne pouvais que m'agenouiller en silence, avalant à petites gorgées un mince filet d'espoir.

Pendant un temps, j'ai voulu croire aux grands mythes religieux transmis de génération en génération. J'ai étudié les livres sacrés, j'ai prié dans les églises, je me suis incliné dans les temples et prosterné devant les autels. Mais ces croyances ne pouvaient me satisfaire. J'avais besoin d'entrer directement en contact avec la Substance sans forme.

Dans cette quête, j'ai rencontré beaucoup de gens qui se montraient incapables d'écouter autre chose que leur propre chant. Ceux-là se dressaient toujours avec orgueil, portant leurs croyances comme les plus beaux des costumes. Ils s'accrochaient à leurs dogmes tels des enfants effrayés s'agrippant à la robe de leur mère, cherchant force et réconfort. Mais leur vraie force ils ne savaient la voir, endurant ainsi le pire des sacrifices – car leurs convictions avaient étouffé ce qui en eux était plus qu'humain.

C'est alors que la vie m'enseigna, à sa manière bien particulière.

J'appris la foi auprès des sceptiques, l'intégrité auprès des malveillants, la compassion auprès des criminels – et la gratitude auprès de tous.

Quand j'ai pu enfin regarder à travers les yeux du Très-Haut, j'ai compris que j'étais tous ces hommes. Chacun d'entre eux ajoutait à mon enchantement, comme chaque étoile aide à éclairer le grand mystère du cosmos.

Pour certains, rares mais précieux, la religion était une petite lueur qui miroitait aussi sereinement qu'une étoile dans les cieux. Ceux-là ne parlaient jamais d'idéologies. Ils m'ont guidé jusqu'à mon propre sanctuaire afin que je communie avec Celui qui n'a pas de nom.

L'esprit qui s'est révélé à moi embrasse tous les êtres humains – les agnostiques comme les croyants. Il nimbe et imprègne tout ce qui a été – les êtres comme les choses –, et s'étend toujours davantage jusqu'à englober tout ce qui sera.

Face à ce mystère, j'ai prié. Prié pour trouver une assise solide à ma foi. Et le prophète m'a répondu :

Prendre refuge dans la croyance que tu as choisie jusqu'à la sanctifier, voilà qui peut sans doute te consoler, mais ne te hâte pas de décrire le mystère à ton image, ni de l'interpréter à ta manière.

Les idéologies, qui lancent partout leurs milliers de bras et leurs multitudes de doigts, s'étendent par vagues concentriques.

Je voudrais que tu considères ta croyance avec autant de légèreté que les pensées dont elle se nourrit.

Abandonne les doctrines religieuses sur les étagères de l'histoire. Elles ne sont qu'un écho assourdi des anciens — lesquels sont venus bien après ta vraie naissance.

Car tu demeureras, longtemps après que les livres sacrés ne seront plus que souvenirs poussiéreux.

Car ta vie n'a pas commencé dans la matrice de ta mère et ne finira pas dans la tombe.

Jamais ta compréhension ne sera assez vaste pour saisir le miracle.

Espère seulement accomplir ce que tu dois encore accomplir.

Sans la foi, tu n'es qu'une plume jetée au vent et dérivant sans but.

Et pourtant, si ta foi se limite à ta seule croyance, tu deviens un oiseau encagé qui peut certes déployer ses ailes mais ne saurait voler.

Tu crois trouver quelque apaisement dans tes convictions, mais ton esprit demeure stagnant comme une eau morte.

Ta foi ne doit jamais t'enfermer, te contraindre ou te diviser.

Ne la transforme pas en refuge ; au contraire, fais-en une arche scintillante pour accueillir ton propre infini.

Tu es plus splendide encore que tout ce que tu peux concevoir, mais cette révélation de toi-même à toi-même dépend uniquement de ton degré de réalisation.

Avec le seul matériau de tes croyances, tu voudrais construire un vaisseau pour naviguer sur les flots roulants de l'existence. Moi, je voudrais que tu plonges dans les abysses pour ne faire plus qu'un avec ton âme originelle.

Tu aimerais sans doute que je sois l'eau d'une fontaine dans laquelle tu pourrais plonger ta coupe à loisir... Mais je serai le déluge qui te submergera – car ta perte est le tremplin de ton salut.

J'anéantirai toutes tes croyances afin que tu puisses venir vers moi en recouvrant ton innocence et en abandonnant tes certitudes.

Peut-être graveras-tu ces mots dans la pierre et les proclameras-tu tels les reflets de la vérité même. Mais cette pierre, je la transformerai en poudre. Et de ses minuscules cristaux je ferai une mélodie liquide.

Je suis le chant toujours présent que tu devras chanter – plus près de toi que ta propre respiration.

Tu peux me chercher à travers le monde entier, mais tu ne pourras me trouver qu'à l'intérieur de toi.

Parce que je suis le cœur qui t'illumine et l'esprit qui t'enchante.

La Vérité

Impatient de pénétrer le mystère de la vie, je passais mon temps en contemplation.

Lors de mes promenades solitaires dans la nuit, sous le dais d'une forêt éclaboussée par le clair de lune, je rêvais du monde de l'esprit.

Un soir, le parfum d'un vent lointain me fit deviner quelque chose – une révélation que mon passage à travers l'obscurité rendait encore plus palpable.

Je regardai humblement l'immensité du ciel et m'interrogeai :

« Qui suis-je, sous ce ciel sublime et sans limites ? D'où suis-je venu et comment suis-je apparu ici-bas ? Est-il **un autre** objectif que de m'émerveiller devant **les surprises** du temps ? »

La lumière des étoiles me souffla alors le message du prophète :

Le temps est le battement de cœur de l'éternité, une pulsation ondulant à travers les profondeurs de l'espace.

La Mère Océan danse en rythme avec la lune, mesurant le temps sans relâche. Le Père Montagne connaît le temps à mesure que des siècles de précipitations creusent des sillons sur ses versants.

Le temps est le garde-barrière de tous les phénomènes, celui qui, par son tic-tac incessant, rythme la suite ininterrompue des instants. Et rien ne sert ici de s'agripper, car le changement est perpétuel.

Suspendu aux filaments de la perception, entre les images nébuleuses de ce qui fut et l'horizon de ce qui sera, tu es le témoin immobile de tout ce qui passe devant tes yeux.

Car c'est de ta première pensée que le temps est né.

Toute merveille s'évanouit, tout plaisir disparaît. Mais toi, tu demeures, observateur invisible.

Dans ta quête de vérité, porte ton regard au-delà des champs linéaires du temps et de la logique.

Si les barreaux de ton échelle ne sont que concepts et raisonnements, tu auras beau grimper, tu ne progresseras jamais.

La vérité est un gouffre paradoxal que tu rencontres par hasard. Et la voilà qui te sourit, aussi nue et irrationnelle que l'amour.

Dans le silence de ton cœur, tu peux découvrir intuitivement les lois qui modèlent ta vie et façonnent ta destinée.

Chasse tes préjugés. Chaque fois que tu plongeras ta coupe dans le fleuve de la création, tu en retireras une eau fraîche et neuve.

Une vérité proférée ne demeure qu'un instant sur tes lèvres. Et une vérité dont on se souvient n'est pas une vérité — elle n'est que le reflet d'hier dans le miroir du temps.

Les concepts jettent toujours un sort sur la pure perception, réduisant les miracles à des faits.

Par-delà l'apparence des pensées, ouvre-toi au grand calme. Délivre ton esprit des mirages de l'interprétation. Que ta langue goûte une saveur différente de celle d'un savoir rebattu dans des livres d'un autre temps et d'une autre histoire.

Tu es la Vérité Vivante.

Au premier clin d'œil du soleil, ta rêverie commence ; tu crois que tu es réveillé, mais ton rêve continue dans le sommeil de l'oubli.

Si seulement tu pouvais te rappeler qui tu es, comme tu rirais avec les dieux de ton absurdité et de ton sérieux !

N'oublie pas que tout cela, l'avant comme l'après, s'en est venu et s'en est allé —

Tu es là puisque je suis.

LE DÉSIR

L a logique singulière du prophète dépassait ma compréhension. Et pourtant, son apparition agissait comme un baume apaisant mon cœur.

La peur et la souffrance liées à mon passé commençaient à s'ouvrir comme de lourds rideaux – mais ceux-là ne dévoilaient qu'un désir toujours plus profond. Mes expériences m'avaient enivré comme un élixir, avant de m'abandonner au piège de mes obsessions.

Un jour de printemps, je paressais au bord d'un torrent dont les eaux serpentaient à travers des roches escarpées avant de s'engouffrer dans un étroit canyon. Je contemplais un crocus sauvage qui s'était frayé lentement un chemin à travers la croûte terrestre, et soudain je me reconnus – un bouton prêt à éclore, mais prisonnier d'un hiver qui n'en finissait pas.

Comme si j'avais jeté des joyaux au fond de la mer, j'avais renoncé à tout pour me consacrer à cet appel – mais mes visions n'étaient encore que des rêves fugitifs. Je me sentais toujours plus pauvre, désœuvré, comme si j'avais épuisé toutes mes réserves à la poursuite de richesses immatérielles.

Ce que je désirais ardemment, ce n'était pas une pensée fugace, c'était une consolation tangible. Mais mes poches étaient vides, mes mains inutiles – il me fallait chercher de quoi subsister.

« Parle-moi de l'argent, demandai-je. Est-il un autre moyen de mesurer la réussite en ce monde ? de trouver la sécurité ? »

Peu à peu, le murmure des eaux devint une mélodie tandis que le prophète me répondait :

Je voudrais que tu trouves la juste maîtrise dans toutes les choses que tu entreprends. Mais tu ne saurais mesurer le mérite ou le succès à l'aune de l'argent. Car l'argent ne peut créer l'amour, or ce qui fait ton véritable prix c'est de rendre l'amour visible.

Ton désir de réussite est au cœur même de ton échec. Ce n'est que lorsque tu seras vide de tout désir que tu connaîtras la plénitude.

Un homme peut triompher, régner sur les nations, se voir honoré à travers les générations – et n'avoir pourtant qu'une piètre estime de lui. Alors qu'un autre, vivant la plus simple des existences, un inconnu dont nul ne se souviendra, se montrera capable d'éveiller ton âme.

Où trouve-t-on la vraie valeur ? D'où vient-elle vraiment ? Quel est le prix d'un modeste brin d'herbe comparé à celui d'un majestueux séquoia ?

Toi seul peux donner ou non un prix aux êtres et aux choses.

Ce fruit que t'offre la terre, c'est toi-même qui l'as semé. La manne que les cieux déversent sur ton champ fertile, tu en as planté la graine dans le monde de tes rêves.

Les réponses à tes plus hautes aspirations reposent, prêtes à jaillir, dans la source inexploitée qui coule en toi.

Si tu ne cherches que la gloire et la fortune, tu ne fais que te voler toi-même. Tu te voles ton propre trésor, oui, tout comme le mineur qui délaisse la beauté de la nature pour n'en dérober que l'or scintillant.

Ta quête vorace ne fait qu'attiser tes désirs, aussi sûrement que de l'essence jetée sur un feu.

Qui veut toujours plus n'obtient jamais assez. Car ce dont tu n'as nul besoin ne saurait te satisfaire.

Laisse s'exalter tes aspirations au-delà des petits profits superficiels qui détruisent ton âme.

L'argent ne peut combler ton cœur ni dévoiler ta beauté.

Il ne peut inspirer ta danse ni libérer ton chant. En vérité, seule ton ouverture peut combler ton vide.

Une bouche affamée, comme celle d'un aveugle à la table d'un banquet, ignore trop souvent les offrandes de la Providence.

La prospérité survient lorsque tu comprends que ce monde magique est ton terrain de jeux.

Avec la même gravité méditative que l'enfant qui cherche un trésor, tu dois trouver ta propre source d'inspiration, et offrir une réponse créatrice aux questions que te pose la vie.

Ton désir est le désir que la vie a d'elle-même.

Que désires-tu vraiment sinon la liberté et le pouvoir de transformer tes visions en réalité ?

Est-il plus grand pouvoir dont tu puisses te réjouir que la liberté de t'aimer tel que tu es ?

Quel lendemain pourrait t'apporter ce que tu n'as pas déjà aujourd'hui ?

Tu es un enfant dans le jardin de la grâce, un enfant qui trouvera toujours un appui, quel que soit le plan de réalité dans lequel il choisira de jouer.

Mais jamais tu ne trouveras plus grand trésor que celui de l'amour partagé.

Tu es vivant, maintenant — c'est le don le plus précieux : toucher, sentir, aimer.

N'échange jamais ce don contre un simple souvenir ou une vulgaire promesse.

La Grâce

Naturellement, ces dialogues intérieurs atténuaient mon mal-être et allégeaient mes chaînes, mais je me refusais toujours la liberté de vivre dans la grâce.

Chaque matin je me réveillais accablé par ma pesanteur, obsédé par le désir d'atteindre la terre promise.

Tel un esprit cherchant désespérément à se sauver d'une tempête spirituelle, je me retrouvais ballotté dans les vagues d'une confusion que je ne pouvais plus ni supporter ni surmonter.

Alors je plaidai ma cause devant le gardien de mon âme :

« Ta voix a éveillé en moi une passion pour l'inconnu.

Je sais la splendeur de ce monde, et pourtant je reste là devant toi, hanté par le désir d'autre chose.

Sur ma gorge, je sens la main d'un spectre et le goût des jours amers me brûle toujours le ventre.

Mon cœur malade bat pour toi – il a faim de ta présence.

Je brûle de te rejoindre dans ce jardin de la grâce que tu as évoqué, mais comment le pourrais-je tant que tu ne m'habiteras pas entièrement ? »

Après un moment de silence, le prophète s'adressa à moi tendrement :

Tu es né dans le jardin de la grâce à l'aube de la création. Tu ne peux rien ajouter à la profondeur de la grâce, sinon ta propre grâce.

Un sourire révèle le visage de l'esprit tout comme les rides à la surface d'un étang dévoilent la présence de la brise.

La grâce s'exprime en tons pastel et caresse tous les sens.

Elle dresse le plus glorieux des banquets et se consacre à ton éveil, afin que tu participes à son festin.

La grâce te ramène toujours au foyer, elle guide à jamais tes pas de danse sur ta terre natale.

Briller comme une étoile dans la tragi-comédie de l'existence, dans ce bal d'ombre et de lumière qui s'ouvrit à ta naissance — voilà ton privilège.

Ta dualité native se projette sur tout ce qui apparaît devant toi.

Tu peux certes ne pas aimer ton reflet, mais par-delà ce théâtre d'ombres la grâce continue de briller sur toi.

Dans la paix comme dans le conflit, tu récoltes ce que tu sèmes. Et cette prise de conscience amorce ton éveil. Comment mesurer ton accomplissement, si ce n'est par la grâce que tu déploies face à l'adversité ?

La grâce que tu cherches est toujours devant toi, mais, dans l'inquiétude causée par ton besoin, tu ne la perçois pas.

L'illusion du désir se pose comme un voile sur tes yeux. Mais celui qui se soucie encore de vouloir alors qu'il se trouve dans le jardin de la plénitude subira les affres du manque.

Relâche les liens du désir, délivre-toi du bandeau de la peur. Puisses-tu contempler alors la scène extravagante de l'univers par les yeux mêmes de son Grand Acteur !

Bien avant que la peur du manque ne fût en toi, la grâce débordait déjà de ta coupe ! Elle attend avec patience — elle se délecte de ces moments où soudain tu t'arrêtes pour la découvrir.

LA SEXUALITÉ

Je naviguais ainsi sur l'océan de mes rêves quand je fus emporté jusqu'au naufrage par la violence de mon désir.

Les lèvres de l'amour, murmurant sans relâche au creux de mon oreille, me révélèrent la beauté sous la forme divine d'une femme – plus exaltante que le ciel, plus profonde que l'océan, et plus troublante encore que ces deux éléments réunis.

Je vouais un culte à sa beauté. Je voulais me fondre en elle. Mais le Créateur avait autrefois façonné deux corps à partir d'un seul. Et ces deux corps, il les avait jetés dans des mondes éloignés où la séparation était vécue comme un enfer.

Le plus léger contact avec sa peau si douce me laissait le cœur battant – je tremblais comme un homme assoiffé dans le désert. Elle était éblouissante – le joyau de toute la création – et mon attente la rendait toujours plus désirable.

Toute chose change selon les émotions de celui qui la perçoit. Et mon obsession avait fini par perturber mes sens.

Piégé par mon désir, j'ai commencé à la voir autrement qu'elle n'était. En réalité, j'avais idéalisé la lumière de ses yeux, le ton de sa voix, l'élégance de sa silhouette. À l'évidence, si j'avais pris dans mes bras cette femme rêvée, elle se serait aussitôt évaporée...

Je la regardais comme un prophète s'immerge dans le grand mystère pour en éprouver les secrets. Mais au fur et à mesure que je la regardais, j'avais l'impression de me dévaloriser. Comme si je refusais de voir en moi tout ce que j'adorais en elle.

Ma sensualité me projetait dans un monde imaginaire où le désir le disputait à la vision. Je me criblais moi-même de flèches enflammées. J'aurais voulu dévorer celle que j'aimais.

À travers ses yeux, les anges semblaient observer, avec un air de regret, tout ce que je trouvais méprisable en moi. Et peu à peu ma poitrine s'affaissait sous le poids de la honte.

Mais rien, non, rien ne pouvait apaiser ma passion, car mon désir était aveuglant, comme s'il avait été gravé dans ma mémoire depuis l'origine.

La tête enfouie dans les mains, je hurlai pour secouer mon esprit accablé :

« Je suis hanté par une obsession qui m'emprisonne. Mon cœur est un tigre indompté qui se jette contre les grilles d'une cage – la cage des non-dits, des fantasmes, des désirs refoulés.

Aide-moi à démêler ce qui, dans la sexualité, relève du sacré et ce qui relève de la honte, afin que je puisse être digne de l'amour d'une femme. »

Et le prophète me répondit sur un ton fraternel :

Du sacré je te parlerai, mais nous devons d'abord mettre à nu la honte.

Qu'est-ce que la honte sinon un manteau de morale posé sur les épaules de l'innocence ?

Quand tu recouvres ta nudité avec des principes moraux, tu dissimules ta beauté profonde – à seule fin de protéger tes yeux d'une vision que tu crois impure. Ce faisant, tu retardes ta rencontre avec la Déesse dont le regard ne peut être souillé par tes désirs.

Sache que tu ne peux influencer le cours de l'amour par des préceptes vertueux.

Sache que tu ne dois pas te prosterner devant les hypocrites, comme s'ils étaient dignes de respect.

Car tout est sacré dans le cœur compatissant de l'amour.

Lorsque la vie n'est plus que faim et torture dans les cachots du déni, l'innocent est prêt à téter la poitrine des démons.

Qui sait si ton accomplissement ne doit pas en passer aussi par l'indignité ?

Car le Créateur n'est autre que le Destructeur, et il est des bénédictions cachées en chaque retraite et sur chaque sommet tout au long du voyage sacré de la vie.

Les vrais exaltés sont ceux qui font l'amour avec leur part d'ombre et transforment la discorde de leur âme en un accord subtil qui retient les leçons de l'expérience.

Mais, je te le dis, ne t'attarde pas dans les marécages de la luxure, sous peine d'y perdre ton chemin.

Considère l'acte d'amour comme quelque chose de plus qu'un simple frisson perçu par les sens ou un assouvissement gratifiant.

De même que ton moi animal connaît ses désirs et ne peut être trompé, ton moi divin a besoin que tu t'épanouisses tendrement dans l'amour.

L'intimité sensuelle peut te conduire à la béatitude de la véritable union et te plonger dans un monde souterrain où tu pourras retrouver ton âme originelle.

Elle et toi, vous êtes les innombrables visages de Celui qui n'a pas de visage et qui joue tous les rôles.

Dans le demi-sommeil de l'amour, vous succombez au charme de la plénitude s'incarnant sous *la forme de l'autre. Et vous cherchez ardemment la fusion. Mais ce que vous adorez chez l'autre, vous devez aussi le réaliser en vous-même.*

Vos deux corps sont les temples de l'esprit.

Abandonnez-vous entièrement à la Déesse afin qu'elle vous emplisse de sa douceur – et que vous deveniez deux fruits bien pleins, mûrs et délicieux. Et remerciez Dieu qui rassasie votre besoin d'expansion.

Et tandis que vos deux corps s'absorbent dans l'extase, laissez libre cours à vos désirs sous un ciel bruissant d'amour.

LE CHANGEMENT

Le cortège des jours m'avait conduit vers une femme. Quelqu'un qui me comblait et me délivrait des liens de la solitude. Je m'étais littéralement réfugié en elle. Et j'aurais voulu qu'elle m'enseigne ses mystères.

Sa tendresse avait fait naître en moi un vertige. Il suffisait qu'elle fredonne une chanson pour que je sois aussitôt transporté dans un autre monde. Ma solitude s'était transformée en béatitude.

Nous nous sommes mariés un jour d'été. Et chaque matin de notre lune de miel nous surprenait avec un chant sur les lèvres. Deux merveilleux enfants consacrèrent notre union.

Les jours passaient comme les pages d'un roman d'amour qui n'en finirait jamais. Notre famille était la source d'un bonheur qui comblait ma fierté.

Au milieu des clameurs de la vie, j'avais enfin trouvé un abri. J'étais devenu le spectateur heureux d'un monde agité.

Les mois et les années s'écoulaient rapidement, comme filent les ombres des nuages sur les collines et les vallées. Et chaque jour portait en lui des siècles de souvenirs.

Le soleil qui, au printemps, donne vie au jardin le brûlera l'été venu.

Le subtil battement d'ailes d'un papillon finit parfois par déclencher un cyclone.

Dans l'histoire d'une vie, chaque événement naît avant tout d'un rêve désenchanté.

Je ne me souviens plus du moment où la graine de l'adversité fut semée dans notre rêve. Happé par la succession des jours, j'étais bien trop occupé pour remarquer certains froncements de sourcils annonciateurs du pire. Et je

ne puis me rappeler ces premiers instants de
tension qui allaient bouleverser notre
complicité.

La houle de l'amour avait fini par nous faire
échouer sur les rivages de deux mondes éloignés.

De notre union ne restait presque rien,
excepté quelques vagues souvenirs flottant
comme des drapeaux en lambeaux après la
tempête.

Notre amour s'acheva dans un orage fulgu-
rant, un tonnerre de vérités, un déluge de
larmes.

Un soir de fin d'automne, je méditais, ébranlé
par la tourmente qui avait détruit notre famille et
fait de moi un père sans enfants.

À nouveau, le chagrin me suffoquait ; à nouveau, je tentais de libérer les sanglots empri-
sonnés dans ma poitrine.

Mes yeux, qui hier encore se réjouissaient
devant la beauté du monde, ne voyaient plus
qu'un paysage aride dévasté par les bourrasques.

Mes oreilles, qui aimaient tant surprendre les
rires des enfants, n'entendaient plus que l'écho
des vents de la colère.

Ma famille m'avait apporté tant de choses que je me retrouvais à présent frustré, dépité par une histoire d'amour transformée en mauvais feuilleton.

Je n'avais rien connu de plus précieux que ces moments de partage. Et, à présent, rien ne me brisait autant le cœur que ces nuits affreuses, hantées par un froid désespoir.

Au fond, j'avais toujours voulu faire de ma vie quelque chose d'extraordinaire. À présent, j'étais faible et blessé. Je cherchais un refuge, une grotte où le monde aurait cessé d'exister, où mon nom serait effacé de la mémoire des hommes.

Et pourtant, plus je cherchais l'obscurité, plus mon âme brillait, me faisait signe avec tendresse.

Le prophète apparaissait souvent dans mes rêveries mélancoliques — comme une image floue, une sensation indéfinissable. Parfois, il se dressait dans le ciel tel un fantôme incandescent.

Un soir, je m'adressai à lui avec le plus grand sérieux :

« C'est une heure sombre où le poids de l'amour disparu pèse dans mon cœur.

Je prie pour que la joie renaisse des cendres de mon chagrin.

Comme je voudrais me baigner dans la tranquillité d'un jour nouveau – retrouver la grâce de l'oubli !

Je prie pour avoir la sagesse de rester intègre.

Je prie pour célébrer la force d'âme.

Mais je reste accablé, car je ne parviens même pas à exaucer mes vœux les plus modestes.

Je voudrais que ta compassion me délivre de ma propre faiblesse. Et que ma force puisse enfin rejoindre ta lumière.

Mais comment saurais-je trouver une consolation dans ta sagesse, si grande soit-elle ? Je suis comme ces feuilles jaunes de l'automne qui n'ont plus besoin du soleil – de simples jouets pour le vent qui annonce les hurlements de l'hiver. »

Le prophète m'apparut alors, dressé au-dessus de moi telle une montagne, impassible devant mon trouble :

Alors que tu bois aujourd'hui le vin amer de l'hiver, n'oublie pas que le printemps s'éveille déjà sur tes lèvres.

Ta douleur est un nuage noir qui ternit l'éclat de ton esprit, mais la pluie de larmes qu'elle déverse fera refleurir l'arbre de vie.

Le tumulte qui t'assaille obéit aux mêmes lois qui gouvernent le cours des fleuves jusqu'à l'océan.

Rends-toi, comme la rivière se rend à sa source ; tu t'élèveras encore et encore au-dessus des collines, jusqu'à ce qu'enfin tu redescendes en riant à travers les vallées, sur le chemin du retour.

Je ne suis pas venu pour te consoler mais pour arracher tes racines enfouies dans la noirceur du monde souterrain — afin que tu sortes du cocon de ta tristesse et des brumes de la pensée limitée !

Ce qu'il y a de moins élevé en toi se lamente parce que la vie ne veut pas se charger de ton fardeau.

Tu souffres, et tu témoignes ainsi de la réalité de tes plaintes.

Et ton supplice perdure tandis que tu luttes contre ton propre vampire.

Le dos tourné à la lumière, te voilà forcé de pousser comme une plante rabougrie dans l'ombre insignifiante que tu as toi-même projetée.

Je ne m'intéresse pas à l'homme fragile que tu crois être, mais j'applaudis celui qui est libre et sans limites à l'intérieur de toi.

Ton âme est d'une profondeur sans bornes, et ton esprit gambade à travers l'immensité.

Pourquoi me montrer seulement un détestable petit morceau de ton moi gigantesque ?

Table enfin sur ta profondeur pour t'élever jusqu'à ta vraie hauteur. Alors, tu pourras considérer les jours qui te restent comme autant de pierres de gué vers le zénith de ton âme.

Quelle force passionnée te fera redresser dignement la tête au milieu de ta souffrance ?

Quel pouvoir parviendra à te faire chanter, même quand tu appelles au secours, à te faire danser, même quand tu demandes grâce ?

Tu es un rêveur en devenir.

Quelle vision inspirée te rendra intrépide au milieu du monde ?

La Vision

Et pourtant, je continuais toujours de me plaindre, rongé par l'amertume :

« Je suis l'esclave de lois que je ne comprends pas, et le poids de ma douleur m'a tellement courbé que je peux voir sur le sol les fragments de ma vie éparpillés.

Tu voudrais que je me tourne vers le ciel avec ferveur, mais regarde, je ne suis plus qu'une fleur desséchée, étouffée par les chardons et les épines. J'ai dit adieu à ma propre beauté.

Je me suis perdu dans un orage interminable, une tempête de rêves brisés où seuls des soupirs et des sanglots résonnent à mes oreilles – et tu voudrais m'entraîner plus loin encore, dans un monde de visions fantasques.

Ma lampe s'est éteinte, et je peine à déchiffrer ce qui s'écrit sur le visage blême de ces jours hostiles.

Mes prières sont les prières d'un fou d'amour saisi par le doute, et tu crois en moi, semble-t-il, plus que je n'y crois moi-même. »

Et le prophète répondit :

Les mots que tu prononces dans tes prières n'influent en rien sur les paroles, les pensées et les images de ton quotidien.

Ta voie suivra toujours ta vision, aussi sûrement que le jour succède à la nuit.

La vie telle que tu la rencontres n'est qu'un reflet inéluctable de la façon dont tu la perçois. Toute chose commence et s'achève comme un rêve. Hier, ta vision était en quête d'une vraie sagesse, aujourd'hui, ta sagesse doit rechercher une vision plus ample.

Ouvre les portes et les fenêtres de ton grenier. Laisse la fraîcheur de la brise emporter les rebuts qui encombrent ton esprit.

Les visions proviennent d'une force cachée qu'il te reste à découvrir. Elles te conduiront toujours plus loin, jusqu'aux frontières de la promesse.

Voir, c'est communier avec l'immense et toucher ce qui est à jamais hors de portée. C'est mettre au jour la voie d'un monde enchanté.

À toi de faire jaillir l'étincelle de cet enchantement et de souffrir avec patience le défilé des jours maussades.

Car le meilleur de toi s'exprime jusque dans tes infortunes.

Ne manque jamais de révéler la lumière qui transforme les échecs d'aujourd'hui en victoires futures.

Hors de ton atteinte, demain reste à jamais une promesse. Tu ne mouilleras pas dans les eaux de cette promesse, mais elle aiguillonne tes jours. Elle détient la clé de tous les possibles. Elle est l'objectif des chasseurs de trésor, la destinée du voyageur.

Es-tu autre chose, après tout, qu'un voyageur à travers le temps, chevauchant les vagues du changement ?

Dépourvu d'imagination, ton esprit serait aussi inutile qu'un bateau privé de la mer.
C'est ta vision du futur qui donne le cap.
C'est en te laissant porter par le souffle de tes aspirations que tu parviendras à ton objectif.
Alors seulement, tu deviendras celui que tu as voulu devenir.
N'as-tu pas fini de t'apitoyer sur toi-même ?
Vas-tu enfin te rêver en homme indomptable ?

LA RICHESSE

La sagesse du prophète commençait à imprégner ma compréhension des choses. Par des leviers invisibles les portes du lendemain s'entrouvraient – et je marchais, accompagné par sa voix qui résonnait en moi.

Mille visions submergeaient ma solitude – autant de vagues issues de mers inconnues et se brisant sur mes rivages intérieurs.

La nuit, je recevais des messages qui ne concernaient pas mes jours. Souvent, je m'éveillais de rêves prophétiques, qui s'étaient frayé un chemin de feu à travers ma mémoire – comme si une lumière intelligente venue d'une étoile lointaine avait cherché refuge en moi.

Quoique je fusse incapable de les interpréter au mieux, leur saveur restait sur ma langue, et leur sourire sur mes lèvres.

Lorsque je parlais, l'écho assourdi de leur murmure se faisait entendre jusque dans ma respiration. C'est ainsi que j'allais devenir, aux yeux de ceux qui m'entouraient, celui qui communie avec les esprits de l'autre monde, et que je fus bientôt considéré comme un maître et un guérisseur.

Pendant de longues années, je me rendis partout où j'étais invité, voyageant de lieu en lieu, partageant mes dons thérapeutiques et mon cheminement vers l'amour et l'éveil.

Je finis par m'installer à Hawaï, où beaucoup affirmèrent que j'habitais leur esprit, que je les visitais durant la nuit. Certains étaient de véritables nababs, et comme ils s'épanouissaient grâce à moi, ils me récompensèrent généreusement.

Mes poches étaient pleines, et je multipliais les investissements. Grâce à la fortune que j'avais acquise, je pus acheter une magnifique propriété où je commençai à faire construire un centre de retraite spirituelle.

Cependant, plus ma fortune augmentait, plus mon ego se dilatait.

Plus je recevais, plus je demandais ; plus on me donnait, plus je désirais.

Je n'étais plus qu'une version défectueuse de l'homme que je voulais devenir. Je compris un jour, dans un frisson, que je me servais de mes disciples pour nourrir mon orgueil. À ce moment-là, j'aurais tout donné pour la chaleur d'une vie simple.

Quand, pour finir, je me regardai dans le miroir, la présence pénétrante du prophète se refléta derrière moi.

Ses paroles trouvèrent le chemin de ma vulnérabilité :

Tu es venu dans ce monde avec les poings serrés, dans l'intention de t'ouvrir pleinement.
Le vide que tu ressens en toi exige que tu remplisses ta vie de choses matérielles, mais tu ne sais rien, ou si peu, de la source qui pourrait te délivrer de ton insatisfaction – alors tu t'agrippes aux choses pour compenser la pauvreté de ton esprit.

À mesure que ton destin se déploie, ton pouvoir sur les choses s'accroît. Et leur nombre augmente selon ta maturité. Mais tu ne dois en garder aucune, car tu n'appartiens pas au monde des choses. Aussi, ne recherche pas la richesse artificielle, car seule la fontaine du cœur peut étancher ta soif.

La prospérité est une amie versatile qui peut s'emparer de ta force de caractère. Et tu n'es jamais aussi fragile que dans ces instants où les torrents de la richesse et de la gloire submergent ton puits à souhaits.

Prends garde aux effets néfastes de la fortune. Ce que tu possèdes peut te posséder jusqu'à te détruire.

Sous le fardeau de l'excès, tu avances comme un estropié, déformé par l'orgueil.

Plus tu amasses des biens, plus tu amasses de l'anxiété. Ton attachement aux choses te conduit au succès autant qu'à l'infortune.

Car rien ne saurait autant t'affaiblir que l'obsession de la richesse ou le désir d'être admiré. Pourtant, c'est au fond même de cette fange que tu dois poser les bases de ton caractère.

Aspirer à une vie supérieure en écoutant autre chose que ton propre cœur est une entreprise futile.

Ne crois pas que seuls les sommets ensoleillés de la prospérité soient dignes de toi, car les grâces les plus précieuses naissent aussi dans l'absolue nudité du désert.

La vertu est une amie sans prétention qui te conduira, libre de tout, à travers des vallées perdues jusqu'à la source des joies simples.

Mais si tu préfères l'excès à la vertu, chaque étape de ton voyage deviendra une épreuve.

Lorsque tu verses de l'encre dans ton puits, tu en noircis les eaux. Pourtant, il n'est rien sur cette terre de si noir qu'une pointe d'innocence ne puisse purifier à nouveau.

La prospérité n'entrave pas nécessairement ton accomplissement, pas plus que le simple renoncement ne fait grandir automatiquement ta bienveillance.

C'est ta faiblesse seule qui voue un culte à la richesse. Aussi dois-tu exercer ta force à défendre une cause plus grande.

En vérité, c'est la vie même qui te sert comme un convive honoré dans le palais insaisissable du temps. Seul un fou chercherait à thésauriser le murmure intangible des heures ! Pour un cœur généreux, la rumeur des jours devient la plus subtile des fugues.

Donne, afin que tu puisses connaître la joie de donner. Quand ton temps sera passé, tout ce que tu n'auras pas donné sera perdu.

Par l'effet de ta bienveillance, le mendiant qui est en toi sera baptisé prince.

La bonté est le vrai joyau de ta couronne.

LA TRAHISON

J'énonçais ces principes pour me mettre en valeur aux yeux des autres, mais en réalité, je n'étais pas encore prêt à les appliquer. Pas plus que je n'étais prêt à devenir le capitaine d'un navire porté par la marée montante de la fortune. Je doutais sérieusement de ma capacité à gérer mes rentrées croissantes et, dans mon interrogation, je restais tiraillé entre la peur de perdre et le désir de gagner. Bien sûr, je prêtais oreille à la voix de la sagesse, mais je restais prisonnier des chaînes clinquantes de l'attachement.

J'avais besoin d'aide.

Parmi les nombreux amis qui constituaient ma nouvelle famille, il y en avait un dont je n'avais pas soupçonné la vraie personnalité. Je croyais en son charisme, en sa gentillesse, en sa générosité. Sa voix me parlait comme une pluie légère abreuve le désert. Nous nous retrouvions souvent pour partager un repas, agrémenté de plaisanteries et de bonnes histoires.

Lorsque mon fardeau devenait trop lourd, il m'aidait à le porter comme un véritable ami. Plus d'une fois durant ces années, j'ai pleuré sur son épaule alors qu'il me protégeait à la façon du frère que je n'avais plus.

À cet homme j'ouvris mon cœur et mon foyer, mais mon esprit demeurait aveugle.

Je ne voyais pas la distance qu'il y avait dans ses yeux – ses yeux qui ne versaient aucune larme. Je ne devinais pas la blessure présente dans son cœur qui le tenait dans un monde à part. Je n'avais pas remarqué que, lorsqu'il me prenait dans ses bras, ses mains cherchaient déjà le chemin de mes poches ! Et tandis que nous riions ensemble, il scrutait tous les recoins de ma maison en tramant sa machination.

Derrière son masque il avançait fièrement parmi les innocents, pareil au loup traquant sa proie. En réalité, ce voleur séduisait les personnes charitables avec la ruse d'une araignée tissant sa toile. Et – je l'appris trop tard – nombreuses étaient les victimes de ses pièges minutieusement préparés.

Sa façon de faire fructifier l'argent était si souple et si efficace, prétendait-il, qu'une vie luxueuse m'attendait si je lui confiais le mien. Et je fis l'erreur d'accepter son offre.

C'est ainsi que mon rêve ne put éclore – malgré toute l'énergie que j'y avais mise pendant une décennie. Le meilleur de mon temps, je le perdis en abus de confiance, en mystifications et en procès inutiles.

Le choc fut terrible.

Je brûlais d'une colère froide, qui me laissa un goût de cendres dans la bouche.

Je courus vers l'océan et me battis à poings nus contre l'armée des vagues, avant que le désespoir ne me jette sur le rivage, K.-O. J'implorai mon âme :

« Tu m'as nourri avec ton amour – pourquoi, aujourd'hui, m'anéantir avec des mensonges ?

Tu m'as embrassé généreusement, et maintenant tu t'acharnes sur moi.

Tu m'as guidé par ta sagesse à travers les champs de l'abondance, et voilà que tu dresses sur ma route des pièges implacables.

Le défi me stimule et les larmes me purifient – pourtant, cette épreuve m'épuise et me dessèche.

De ta main droite tu me soulèves et de ta main gauche tu me renverses au sol – et je ne comprends pas pourquoi.

Tu es tout-puissant, et je ne suis que ton serviteur sans défense. Pourquoi chercher à me détruire ?

Je suis exténué par cette lutte, je n'ai plus foi en ta justice. Voudrais-tu une fois encore me faire croire que ceux qui ont trahi ma confiance et abusé de mon innocence sont des hommes de mérite ? »

La voix impétueuse du prophète répondit à mes insinuations ironiques :

Tu n'es pas innocent du mal qui t'est fait. Quand enfin tu pourras voir clairement, tu comprendras que les fautes commises contre toi le sont aussi pour toi.

Réintègre ton vrai moi, avant qu'il ne devienne ton ennemi.

Plonge au plus profond de toi et tu verras son visage se refléter sur tes eaux calmes.

Écoute la nuit silencieuse, et tu sentiras vibrer son désir dans le battement de ton cœur.

Reconnaître son âme dans le cœur de son ennemi – voilà la naissance du véritable amour.

Et pourtant, une grande partie de toi n'est pas encore née, dissimulée derrière les ombres de la négation.

N'est-il pas étonnant d'accorder autant d'importance à des ombres inoffensives ? N'est-ce pas la conséquence de ta seule peur ?

Dès lors que tu t'opposes à ton ennemi, il devient dangereux.

Dès lors que tu te venges, c'est ta propre chair que tu empoisonnes.

Ce que tu refuses d'aimer en toi se retourne aussitôt contre toi, jusqu'à te déposséder de ton intégrité.

Si tu aimais vraiment, tu accepterais que la vie te prenne ce qu'elle te prend, comme tu acceptes, émerveillé, tout ce qu'elle te donne.

Sache-le, on n'estime jamais assez la valeur de ceux qu'on méprise, car leurs leçons n'ont pas de prix.

Est-il rôle plus splendide à jouer que celui du méchant pour permettre à autrui de découvrir le pardon ?

Tu reconnais les vrais mérites de celui qui t'offense quand tu ressens exactement ce qu'il ressent.

Agis envers lui comme tu voudrais qu'il agisse envers toi. À travers son repentir, tu auras le privilège de briser la chaîne des actes négatifs.

Car, non sans adresse, tu as accueilli un charlatan dans ta maison pour te prouver à toi-même tes mérites tandis que ton cœur saignait en sa présence.

C'est l'heure du réveil : et pour te réveiller vraiment, tu dois envisager ton adversaire comme ton ami, car ce n'est qu'ensemble que vous pourrez grandir.

LA TRAHISON

Cet adversaire détient un miroir révélateur, à même de te dévoiler les clés invisibles de ton ascension.
Mais, ne l'oublie pas, la libération spirituelle n'est pas pour les faibles.
La vérité transperce.

LE PARDON

La présence du prophète me tirait vers l'intérieur de moi-même comme les eaux paisibles d'un lac attirent un courant turbulent dans le silence de leurs profondeurs.

Il me demandait d'assumer la pleine responsabilité de mes échecs et de m'examiner au miroir de mon jugement.

Mais c'est mon âme elle-même que je combattais ; obstiné, irrité, je résistais au flot de sagesse qu'elle répandait sans discontinuer.

Dans ce tumulte, je surfais sur la houle d'une émotion délétère, alors que j'aurais voulu par-dessus tout – quelle ironie ! – rejoindre l'humilité des eaux silencieuses.

Tel un prisonnier cherchant aveuglément un passage au fond d'une geôle obscure, je priais pour comprendre ma colère et m'en délivrer.

À nouveau, le prophète répondit à ma requête :

La colère, c'est de l'amour qui se désagrège.

L'intégrité exige que tu te délivres du sentiment de reproche qui justifie ta colère, à moins que tu ne préfères perpétuer les conséquences toxiques dont tu souffres.

Quand tu t'abandonnes à la colère, tu te ridiculises en justifiant chez toi-même les fautes que tu désapprouves chez les autres.

Ta prétendue supériorité érige autour de toi une forteresse de protection qui finit par t'emprisonner.

N'as-tu pas enduré assez de souffrances lors de conflits que tu as créés ou subis ?

Seul un cœur faible cherche la vengeance. C'est la noblesse de l'innocent qui pardonne.

Et ton innocence n'apparaît jamais aussi touchante que lorsque tu pries pour le pardon.

Porte ton attention vers l'intérieur et extirpe courageusement chacune de tes projections.

Abats les murailles de ton refus et revendique le privilège d'aimer sans condition.

Tu es un oiseau de liberté qui attend aux portes du ciel.

Mais tu ne pourras entrer au ciel tant que tu n'aimeras pas aussi l'enfer.

Ne te détourne pas de la honte, car c'est le voile ultime qui dissimule ton innocence naturelle.

Déverse les eaux fraîches de la rédemption sur les enfers où mijotent tes cauchemars.

Délivre-toi de tes démons, oui, mais reste en bons termes avec eux, si tu ne veux les voir s'agiter dans tes replis secrets jusqu'à ce qu'ils finissent par t'envoûter.

Ce sont tes propres affirmations qui provoquent une bonne part de ta souffrance – alors que ta saga personnelle n'est qu'une fable, un cerf-volant ondulant au gré de ton souffle.

Si tu pouvais changer ton esprit aussi librement que le vent change de direction !

Alors que tu te complais en lamentations, la beauté te réveille chaque matin d'un baiser et te promet un nouveau jour.
Et quoique tu puisses détourner la tête sans lui accorder une grande attention, elle est suffisamment bienveillante pour ne pas s'en offusquer...

LE COURAGE

Murmurées depuis un monde inconnu, les paroles du prophète grondaient à mes oreilles comme le tonnerre mais tardaient à faire sentir leurs effets.

Ma joie s'était évanouie comme une chanson d'amour à moitié oubliée.

Mon esprit avait pris son essor quelque part entre le ciel et la terre, me laissant sur le sol, abandonné dans son ombre.

J'avais l'impression d'être une trace laissée par mon âme dans la boue, une empreinte où se reflétait la vision d'une lointaine aurore.

Le soleil devait se lever au fond de mes yeux, et – je le savais – je ne pourrais atteindre cette aurore qu'en traversant ma propre nuit.

Je m'apitoyais sur moi-même :

« Ce vide effrayant à l'intérieur de moi est trop injuste pour que je le supporte.

Quel parti tirer d'une souffrance qui n'en finit pas ? Je suis un poids inutile pour tous ceux qui m'entourent. Par bonté pour eux, je voudrais les quitter et me réfugier dans cette étrange et sombre consolation que j'ai espérée toute ma vie.

Ce n'est pas en remâchant mes craintes que je trouverai le courage dont j'ai besoin. Il faut que je me confronte à la peur ultime – la mort –, afin que ma gloire ne tarde plus et me suive dans ma tombe. Alors, peut-être, pourrai-je moduler librement mon chant sur les cimes du courage. »

Aussi quittai-je le monde des promesses brisées pour une quête à travers les entrailles d'un canyon lointain qui s'étendait des profondeurs d'Hawaï jusqu'à la mer.

À l'approche du crépuscule, j'attendais la mort avec insouciance. J'avais avalé une grande quantité de champignons à chapeau jaune d'or qui poussaient au bord du chemin, sans prendre conscience de leur pouvoir.

La lune se leva dans toute sa splendeur, telle une arche ouvrant sur un royaume.

Un hibou me guida à travers les ombres qui s'étaient drapées au-dessus du canyon. Quand il fut hors de ma vue, il émit un hululement qui me conduisit vers un cercle de pierres dans l'obscurité de la gorge.

J'étais sous l'emprise d'un charme. La vivacité de mon esprit était émoussée par une sorte de frénésie hallucinogène qui nourrissait à présent les cellules de mon cerveau. Mon corps affaibli, pris de vertige, était comme tiré vers le sol par les bras de la gravité. Je contemplai l'œil de la lune suspendue dans le ciel iridescent.

Lorsque mon corps commença à se dissoudre dans la lumière, mon esprit se mit à voir.

Je vis un homme reposant seul sur son lit de mort. Il gémissait douloureusement, et j'entendis sa voix :

Viens, je vais te montrer quelque chose qui apaisera ta peur. Approche-toi, oui, et tu pourras regarder le cœur de la vie par-delà les voiles de la mort.

Je l'observai, de la même façon que le ciel regarde la terre. Et comme j'inclinais la tête, je vis alors ma propre image, telle une silhouette tordue aux traits grotesques. Mon visage était un mélange menaçant de sagesse détournée, de tendresse séductrice et de beauté diabolique. Aussitôt, une vague de terreur courut à travers mes os.

Le ciel devint un dôme de feu, anéantissant tout dans sa furie. Ma peau était boursouflée de cloques brûlantes. Les vers rongeant ma chair me faisaient pâlir de terreur. Mes lèvres tremblantes demandaient grâce.

Puis, comme un coup de canon, un éclair jaillit de mon coccyx, remonta le long de ma colonne vertébrale avant d'exploser dans mon crâne. Un hurlement atroce – qui aurait pu faire fondre un cœur de pierre – sortit de mon estomac et résonna jusqu'au ciel.

Je sentis la tendresse froide de la mort – d'un peu trop près à mon goût. La porte de mon existence avait tourné sur ses gonds et, cette fois, j'étais sûr de mourir d'une overdose de poison.

Glacé de peur, je suffoquai dans un dernier souffle, alors que la clameur de mon cœur s'évanouissait dans le néant.

Mon esprit avait relâché son emprise sur mon corps. Je passai à travers un vortex lumineux jusque dans un royaume de tranquillité où j'aurais pu rester heureux pour l'éternité.

Après un interlude sans fin, une violente secousse me fit soudain trembler et mon esprit fut comme renvoyé dans mon corps.

Je me réveillai en sueur et gelé par la rosée nocturne.

Le grondement lointain du mont Kilauea, jetant ses lueurs rouges à l'horizon, faisait écho aux convulsions qui m'agitaient.

Puis, à ma stupeur, un tapis de brumes se déroula au-dessus des falaises du canyon. Brusquement, tout fut envahi par un calme spectral.

Après un court moment, je regardai alentour et aperçus le hibou à moitié caché dans la brume, perché sur une grande pierre verticale non loin de moi. Le hibou et la pierre se confondirent alors pour prendre la forme du prophète.

Il se tourna rapidement vers moi, me regarda droit dans les yeux et toucha mon front avec l'extrémité de ses doigts, qui me transmirent un message plus pur qu'aucun langage jamais proféré par une bouche humaine.

En un instant, je me retrouvai dans un lieu très ancien, au-delà du temps, où l'œil de mon esprit commença à subtilement s'accorder. Saisi devant cette beauté, je sentis toute la vague de compassion qu'avait refoulée la violence de mes hallucinations.

Dans le silence de cette révélation, mes frayeurs se dressaient comme des fantômes entre mes yeux et la profondeur aimante de son regard.

Et le rythme de mon cœur s'apaisa dans l'amour qui nous réunissait.

Le prophète parla et sa voix intensifia le clair de lune :

Quelles paroles encore tenues silencieuses au fond de mon cœur t'inciteront-elles à chanter ta passion ?

Tu as contemplé la beauté qui réside au-delà de la mort, et il est bon que tu t'en souviennes.

Puisses-tu maintenant t'éveiller assez pour comprendre que tu rêves ! Ou laisseras-tu la peur te dévorer jusqu'à n'être plus qu'un souffle emporté par le vent ?

C'est avec joie que j'offrirai un appui à ta faiblesse, mais seul ton courage pourra te porter.

Tu avances en trébuchant sur le fil du rasoir entre l'homme fragile que tu crois être et l'esprit sans visage qui loge en toi — et qui t'épouvante.

Mais c'est dans les ombres sinistres de ta pensée que réside le siège de ta peur.

Si tu es vigilant, tu comprendras que la peur en elle-même fait apparaître l'image de ce dont on a peur.

Toute une chaîne de concepts t'emprisonne encore dans une identité limitée.

Tu as peur de t'abandonner entièrement, mais le vide que tu crains détient une beauté plus grande que ce que tu peux imaginer.

Tu ne redouteras plus la fin du jour et tu te rendras à la nuit — car tu sauras qu'une nouvelle journée t'attend.

Derrière la scène de ton théâtre désespéré, ton être essentiel demeure.

Devenir étranger à toi-même au sein du jeu passionné de la vie à cause de ta prétendue vulnérabilité — voilà la seule mort réelle.

Si tu hésites à te tenir droit, de peur que le souffle de la vie n'éteigne ta petite flamme, tu resteras à jamais dans les coulisses pendant que le monde continuera de tourner.

La peur que tu n'as pas affrontée t'aveugle, de sorte que tu ne peux poursuivre des objectifs plus nobles et que tu t'égares dans des distractions superficielles.

Au bout du compte, tu te résignes à tout ce que tu as accepté.

En vérité, tu dois affronter sur-le-champ tes pires appréhensions, à moins que tu ne veuilles vivre dans la peur constante de leur retour.

Tu es sauf, aussi sauf que possible, et tu seras toujours en sûreté, mon enfant, car tu es pur esprit — immortel.

L'image que tu as de toi n'est qu'un château de sable reconstruit jour après jour sur les rivages du temps.

Les marées du changement emportent toujours les créations les plus chères à ton cœur pour laisser place à de nouveaux rêves qui naissent aujourd'hui.

Je voudrais que tu salues tes échecs et que tu offres ton œuvre à la marée généreuse.

Comme toute chose vivante, tu es ici pour découvrir la plénitude.

N'attends pas de mourir pour donner naissance au vaste esprit qui est en toi.

Lorsque ton temps sera venu, tu retourneras au foyer immémorial de ta Mère à l'énergie inlassable.

Mais sache que la mort ne change rien de plus que la chair qui embellit aujourd'hui ton visage.

Que tes jours ici soient des jours de vie, car l'ange blanc fait preuve d'une patience prodigue et connaît mieux que toi le moment de ton essor.

Que ce soit dans un jour, dans une décennie ou dans un millier d'années, offre ta vaillance en héritage à tous ceux qui te suivront !

LA BÉATITUDE

La proximité de la mort avait régénéré mon esprit, et la tempête de mon cœur s'était apaisée.

Après l'épisode du canyon, le voile de fumée qui recouvrait mes yeux s'était dissous, et le monde brillait d'une lumière nouvelle.

Une fois encore, l'enseignement du prophète avait déverrouillé la porte de ma prison pour me conduire à travers les champs de l'enthousiasme.

Je n'étais plus retenu par les chaînes du jugement, car sa sagesse m'avait appris à tout aimer, y compris ce qui m'avait blessé.

À présent, je distinguais les visages de mes deux moi : celui que j'avais imaginé être et le reflet de celui qui était en train de naître.

Alors, je saluai la présence fascinante du prophète :

« Tu m'as libéré des liens de l'ignorance. Maintenant, je vois clair, je marche droit et je ris avec le soleil. J'émerge d'un profond sommeil et, en ce jour qui contient tous les jours, j'ai l'impression d'entrer au paradis.

Pourtant, les clés de cette nouvelle demeure me restent insaisissables – et je ne saurais encore me fier à mes pieds d'argile.

Toi, le foyer de mon âme, tu es immense en vertu de ta nature céleste, alors que moi, par la faute de mes impulsions aveugles, je demeure inconstant. Trop souvent, je délaisse la fontaine du présent pour rechercher ce que je n'ai pas encore goûté. Et si j'oublie un jour les bienfaits que je reçois, j'ai tendance à les oublier aussi le lendemain.

J'aimerais mettre fin à ce cycle infernal. Mais, bien que je sois animé des meilleures intentions, les taupes de l'habitude reviennent saper ma confiance. Combien de fois ai-je vacillé ainsi, entre l'exigence de ma quête et l'inertie des modèles du passé !

Apprends-moi à discerner tes leçons afin que je puisse lâcher prise.

Avec patience et affection, le prophète me répondit :

La grâce vient aux cœurs reconnaissants et emplis d'une présence éclairante.

Déploie ta gratitude à corps perdu sur les chemins de ton ascension.

Et pour savourer ta moisson, tu dois simplement chérir tous les bienfaits que t'offre le Prodigue au long du sentier.

Si jamais ce soleil cessait un instant de briller, ton esprit – n'en doute pas – deviendrait aveugle aux trésors qui te sont dispensés chaque jour.

Trop souvent, les moments précieux de la vie ne prennent leur véritable importance que lorsqu'ils sont déjà perdus dans le passé.

Et, quoique cela puisse te peser, n'oublie pas que la moitié de ce que tu reçois consiste en une potion amère préparée pour ton accomplissement. Il n'est pas de moyen plus approprié d'atteindre ton objectif.

Chaque chose comporte deux facettes. L'une te bénit par sa seule existence, l'autre par les leçons qu'elle te donne.

Mais, la plupart du temps, tu acceptes à contrecœur les bienfaits du dieu de l'ombre, et avec orgueil tu te fermes à tout ce qui te déplaît.

Sache une chose : tu ne peux trouver la plénitude si la personne que tu as choisi d'être est inférieure à celle que tu perçois en moi.

Pas plus que tu ne saurais jouir de l'amour si celui que tu penses être te paraît supérieur à celui que tu perçois chez l'autre.

Autant de portes fermées et de murs érigés qui entravent ton bonheur et te laissent ignorant dans un monde privé de saisons, en dehors du grand foisonnement de la vie.

Les âmes compatissantes, au nom même de leur bienveillance, sont toujours tentées de croire que le monde pourrait devenir meilleur grâce à leurs prières...

Mais, en vérité, je te le dis : il ne peut y avoir de vrai changement ailleurs que dans le cœur de celui qui voit vraiment.

Car tout ce qui a été et tout ce qui sera n'est que le fruit de ta propre perception.

Chaque chose t'est donnée sauf le cœur reconnaissant qui doit l'accueillir.

Tout cela repose sur ta bonne volonté, soit l'exercice de ton don le plus élevé.

Tant que tu n'accueilleras pas tout ce qui est avec gratitude, tu resteras une construction inachevée dans les mains du Créateur.

Tel ou tel aspect de la vie que ton jugement aurait voulu différent n'est que le symptôme de l'inaccomplissement de ton moi profond, qui seul sait reconnaître comme un bienfait ce qu'il n'a pas demandé.

Trouve cette clé et le trésor auquel elle donne accès, et toutes les autres richesses n'auront pas plus de valeur qu'un sou au fond de ta poche.

La réalisation de tous tes vœux ne serait que menue monnaie en comparaison des grâces que tu recevras.

Alors les murs s'effondreront et les portes de ton cœur s'ouvriront en grand. Et le fardeau que tu portais comme une chaîne entravant ta liberté rendra ta joie plus authentique encore.

Dans la gratitude surgissant continûment de cet instant d'éveil, tu comprendras qu'il n'y a rien de plus que cette lumière — et pourtant qu'elle représente infiniment plus, tant tu lui es redevable.

Puisses-tu maintenant savourer simplement ce qui t'est offert !

L'Amour

Je chantai alors les louanges du prophète :
« Tu viens d'un monde inconcevable et ton éclat me déroute.

Je vénère en moi ta présence, et dans ce moment de béatitude, je comprends que je suis à l'intérieur même de toi.

La joie imprègne comme un élixir les jours d'autrefois.

En ta présence, humblement, je ne me reconnais plus, car je suis sous le charme que tu m'as jeté.

Quand tu murmures à mon oreille, je comprends pourquoi les oiseaux saluent l'aurore de leurs trilles et pourquoi les abeilles recueillent le nectar des fleurs.

Je te donne mon cœur en gage, pour y célébrer sans fin le souvenir de ta musique.

À présent, je t'en prie, parle-moi de l'amour. »

T'ai-je jamais parlé d'autre chose ?

De l'amour tu émerges et à l'amour tu retournes comme une goutte d'eau tombant dans des flots tourbillonnants.

Les graines du rêve éternel de l'amour ont été plantées en toi quand tu as commencé ton propre rêve.

Dans l'amour, chacun existe l'un pour l'autre, mais l'essence de l'amour, c'est la liberté.

Aussi dois-tu affranchir ton amour de toute contrainte.

Pour être libre, ton amour doit naître encore et encore, telles la pluie et les semences.

N'attends jamais qu'un autre comble tes désirs ou suive ta vérité.

Ne reste pas non plus dans le sillage des autres. Dès lors que tu exerces ta souveraineté, tu découvres la vérité profonde de l'amour à laquelle tu obéis sans même t'en rendre compte.

Que chacun d'entre vous chante son propre chant, car la mélodie d'un cœur ne saurait s'emprunter.

Mais, ne l'oublie pas, seul l'amour peut vraiment réenchanter ton cœur.

Demander quelque chose à l'autre au nom de l'amour, c'est avoir la tête dans les nuages qui obscurcissent la lumière même de l'amour.

Combien de fois t'es-tu laissé assombrir par ton doute et ton refus ? Rejeter la passion, c'est rejeter le désir le plus profond que la vie a d'elle-même, là où réside l'embryon des plus hautes potentialités amoureuses.

L'amour peut s'exprimer dans un souffle de tendresse. Mais parfois, il déchire hardiment le train-train des jours pour y faire entendre sa vérité.

Je voudrais que tu considères l'amour comme la dimension la plus élevée de ton moi, et pas simplement comme une réponse à tes besoins.

Parce qu'il est à la fois ton âme et ton désir.

Et lorsque tu t'abandonnes à lui, tu combles, à ton tour, ses désirs les plus exaltés.

Si tu veux vraiment t'abandonner à l'amour, offre toutes tes larmes et tous tes rires à la vie qui t'a été donnée.

Étends ta bienveillance à tous les êtres afin de découvrir leur noyau de tendresse.

Accepte joyeusement de souffrir pour un instant de grâce sans limites, et tu pourras t'élever au-dessus des murs qui séparent le sacré du profane.

Alors tu pourras aller au-delà, dans la lumière qui brille en toute chose, chez les démons comme chez les saints.

Le Retour

Tombant en extase, je m'appuyai contre un mur pour assurer mon équilibre. Et j'entrai en contemplation :

« Je suis à jamais reconnaissant envers l'esprit généreux qui me bénit.

Mais, alors que je devrais être comblé, ce mystère qui se dévoile m'apparaît plus troublant encore que les tempêtes qui dévastaient mes rêves.

Quelle est donc cette obsession qui me fait dialoguer durant des heures avec mon moi profond ?

Ce désir pressant m'a soulevé hors de ma souffrance, guidant chaque pas de mon ascension. Ce même pouvoir qui a façonné mes rêves a fait jaillir une source sous mes pas et un chant dans mon cœur.

Mais quel est donc ce *Je* qui chante ?

Suis-je le prisonnier d'un destin qu'il me reste à accomplir ? Suis-je un prophète des temps anciens qui revient doté d'une mission sacrée, ou un renard rusé déployant son filet d'illusions ?

Suis-je devenu assez fou pour courir après mon ombre et m'égarer dans des fantasmes ? Mais pourrais-je vraiment refuser une telle mission si elle m'était confiée ? N'est-ce pas simplement la peur du doute qui me retient à présent ?

Quand atteindrai-je enfin la paix et ne serai-je plus perturbé par ces questions absurdes ?

Désorienté, je partis en voyage à travers le monde, à destination d'un ancien monastère situé sur les hauteurs du Liban. Là-bas, dans ces montagnes, j'espérais éclaircir le mystère de la présence qui s'adressait à moi avec une telle passion.

Depuis la Méditerranée, un sentier venté longeait le bord d'un gouffre, et montait toujours plus haut vers le village lointain de Bécharré, niché entre les montagnes comme un joyau dans le sein de la terre. Au point culminant de la route, serré entre des pics de granit élevés et des abrupts escarpés, l'édifice semblait suspendu entre deux mondes.

Tandis que j'approchais, des murs de pierre surgirent de la forêt environnante et me conduisirent vers une grotte souterraine, jusqu'à la tombe de Khalil Gibran.

J'arrivai au monastère dans la soirée, et l'on m'y laissa seul pour méditer.

Épuisé par ce voyage vers une terre ancienne, je me reposai. Fermant les yeux, je plongeai alors en moi.

Dans le silence, une présence familière m'enveloppa. Je n'aurais su la nommer ni me souvenir du moment où j'étais venu là auparavant, mais mon âme connaissait ce lieu, et mes os sentaient bien que je lui appartenais.

J'étais à nouveau chez moi – un parfait étranger dans un pays étrange et lointain.

Je versai des larmes de joie, et je criai :

« Cette nuit, à Bécharré, les montagnes du Liban dorment en silence.

Mais pas moi.

Ici même, dans la demeure de mon moi profond, mon esprit veut que j'examine avec soin mes pensées.

Pourquoi suis-je venu ? Quel est ce besoin qui m'accompagne de la ville au sommet des montagnes en passant par les vallées ?

Cette faim est implacable – même lorsque je suis comblé, je ne parviens pas à trouver la paix.

La fascination de ma jeunesse a grandi jusqu'à devenir une énigme qui ne me laisse plus de repos.

Mon expérience m'a pourtant appris à accepter les fluctuations de la nature. Mais il y a toujours en moi ce besoin de sonder les eaux de l'étang avec un bâton...

Avec une patience inlassable, mon âme attend ma reddition, mais moi, je voudrais trouver le mot de toutes ces énigmes...

Ma folie n'est-elle pas dans ma quête même ? Mon esprit en ébullition continue sans répit de remuer la surface des choses, poursuivant son exploration, alors que mon moi profond sourit en silence.

Si je dois chercher, que ma recherche commence donc par une soumission à la paix parfaite. Est-il un seul trésor qui puisse se passer de sa bénédiction ?

Pour être intime avec mon âme, il me faut garder patience et me débarrasser de mon fardeau.

Laissez-moi poser enfin mon bâton et me reposer assez longtemps pour que les eaux se calment. Peut-être alors mon moi réel émergera-t-il des profondeurs. »

Je quittai le monastère et regagnai ma chambre dans la nuit noire.

J'avais les yeux lourds et les sens émoussés. Je m'étendis pour me reposer. Je semai une ultime graine dans le puits à souhaits de mon âme en partance vers la nuit – et mon esprit regagna sa source.

L'ÉVEIL

Je dormis en paix jusqu'à ce qu'une odeur embaume soudain la chambre.

L'air léger des hauteurs était tout à coup chargé d'une présence, et le parfum de l'esprit voguait sur le vent.

J'ouvris les yeux un instant devant la splendeur de l'aube reflétée par les montagnes. Les rideaux s'écartèrent doucement tandis que l'esprit du prophète entrait par la fenêtre ouverte avant d'apparaître au pied de mon lit. Et je reconnus sa mélodie familière :

Arrache les épines du doute qui s'entremêlent aux bourgeons de l'amour.

Il n'y a aucune raison de désespérer – à chaque problème, mille solutions.

Tout ce qui est attend ton assentiment.

Et tout ce que tu peux devenir attend ton éveil.

Tu vis dans un rêve qui naît à chaque instant.

Toi seul peux octroyer le sens, la beauté et l'amour.

Et qui mérite le plus ton amour ? Celui-ci ? Celle-là ? Toutes les couleurs de l'arc-en-ciel ne proviennent-elles pas de la même source invisible ? Perçu à travers les yeux de l'amour, l'univers est une immense tapisserie tissée avec les fils de la beauté.

Éveille-toi ! Je suis ici avec toi.

Ensemble, nous avons poli le miroir de ton esprit afin que tu puisses sentir sur toi mon regard chargé d'affection.

Tu es maintenant impatient d'allumer la lumière de la conscience. Ton esprit veut connaître les plus hautes visions et ton cœur brûle de se rendre.

À présent, vois, tu me ressembles.

Mes yeux s'ouvrirent. Je m'éveillai d'une torpeur plus profonde que le sommeil.

Je sortais d'un état de conscience transpersonnelle qui m'avait emporté loin de ma confusion.

Rampant en dehors de mon refuge, je pus commencer à voir vraiment. Et j'observai le monde avec les yeux de l'amour – longtemps, profondément.

Je compris que nous flottions comme des icebergs solitaires sur l'océan de l'âme. Et que cette âme se dissolvait dans le ciel de l'esprit.

Tout comme je ne puis tendre ma main dans le ciel et y saisir une étoile, je ne saurais vraiment parler de l'esprit.

De cet esprit, pourtant, nous venons et vers lui nous retournons, inséparables.

Mon cœur s'ouvre maintenant à la béatitude, et je renais comme ce jour, toujours neuf et pourtant immuable.

Ainsi, de mystère en mystère, nous nous déployons.

Le Souvenir

Le chant matinal des oiseaux semblait célébrer mon éveil tandis que je quittai ma chambre pour aller à la découverte du village de Bécharré.

Un souvenir silencieux vint me visiter, tel un passant jetant un coup d'œil rapide à travers une fenêtre ouverte. Alors que j'entrais dans le jardin public, je fus frappé par une impression de *déjà-vu*. Je reconnus soudain des enfants d'un autre temps qui jouaient là.

Une main douce et invisible frôla mon épaule avec une familiarité saisissante. Me retournant, je regardai dans toutes les directions, pris d'un frisson grisant, qui s'intensifia encore lorsque l'écho de la voix de mon frère **Gary,** nourri de réminiscences, murmura :

Bienvenue à la maison, Hajjar.

J'écoutais, tous mes **sens étirés** dans l'espace, en attente de la vérité.

Des sensations **flottantes** s'assemblaient comme les pièces d'un puzzle, impressions fugitives d'images oubliées depuis longtemps.

Troublé par les spirales du temps, seul au milieu d'étrangers dans ce village vaguement familier, je montai à pas précipités dans les rues escarpées afin de trouver une meilleure perspective.

Je me perchai là, surplombant le village avec sa cathédrale imposante et ses maisons disséminées au hasard le long de sentiers divaguant sur les hauteurs de la forêt alpestre. Alors que je contemplais ce vaste horizon jusqu'à la Méditerranée, je fus pris d'une soudaine et instinctive tendresse pour ce lieu étranger.

Je sentais la présence de ma mère embrassant le ciel et la terre tandis qu'un effluve de cannelle et de menthe m'évoquait les parfums de sa cuisine. J'entendis sa voix au fond de mon cœur.

Bienvenue à la maison, mon cher enfant.

Dans une rue en contrebas, un homme agitait la main en signe de bienvenue. Je le suivis jusqu'à un magasin climatisé où il m'invita à déguster quelques pommes et poires cueillies dans les vergers voisins.

Contemplant longuement l'une de ces pommes comme si c'était une boule de cristal, je vis la lueur d'une bougie, celle qui éclairait autrefois la chambre de ma petite enfance. À ce moment-là, je sentis en moi tout à la fois l'esprit de mon frère, l'amour de ma mère et la fierté de mon père.

La première bouchée fut une explosion de nectar sur mes papilles ; la saveur croquante du fruit comblait tout à coup une faim très ancienne, le désir d'une douceur oubliée.

L'homme me questionna sur l'Amérique avec empressement. Son souhait le plus cher était de vivre dans ce pays de cocagne. Je lui répondis :

« Mon ami, nous venons tous deux de la même terre.

Notre désir de liberté pourrait nous emporter vers les idées les plus fantasques, mais les racines qui nous lient à ce sol donnent des fruits bien plus doux que tous les rêves.

Tu es un homme enraciné dans une terre sacrée.

Tu récoltes les fruits de ton labeur – et tu donnes beaucoup de toi-même.

Moi, je suis un chercheur de silence, en quête des secrets de notre âme.

Mon expérience m'a permis de découvrir en moi-même un plus grand respect et une plus grande tendresse pour toi.

Ta vie semble simple et bien éloignée des rêveries qui s'agitent dans la solitude de ton cœur.

Mais c'est ta force silencieuse qui, comme l'esprit de ces montagnes, soutient le ciel où toutes nos rêveries ne sont que des nuages éphémères. »

Prenant congé de cet homme, je fus irrésistiblement attiré vers la cathédrale.

Mes pieds, comme s'ils savaient plus de choses que n'en pouvait deviner mon esprit, me portèrent par des marches usées jusqu'au-devant d'une arche.

Debout sur le seuil de la cathédrale, je glissai tout à coup à travers les couloirs du temps. Les spirales laissées par l'épaisse fumée rose d'un encens se métamorphosaient en fantômes d'une autre époque. La psalmodie des âges passés faisait écho au battement accéléré de mon cœur.

Comme mon père l'aurait fait, je m'appuyai au dossier d'un banc de bois pour m'asseoir et commencer à méditer.

Guidé par un instinct très ancien, je compris pour la première fois que ma vie était un rêve récurrent, dans lequel se rejouait infiniment la lutte primordiale de la peur et de l'amour.

Soudain, dans un flash-back, comme si mes yeux percevaient la lumière pour la première fois, je me revis assis en ce lieu entre mon père et ma mère. Et je me souvins des vitraux qui racontaient la passion du Christ, des assiettes d'offrande en or sur l'autel de marbre et des rangées de bougies coulant comme des larmes qui libéraient nos prières vers les cieux.

Dans le chaos de ces souvenirs troublants, une lumière diaphane envahit soudain la nef, et ma vision me transporta à travers le toit jusqu'à un lointain souvenir que je chérissais particulièrement. Devant moi s'élevait une sorte de cathédrale naturelle formée d'escarpements rocheux. Elle se dressait au bord d'une prairie où coulait un ruisseau dont le murmure soyeux semblait m'accueillir. J'écarquillai les yeux, bouleversé par la vision de ce sanctuaire oublié depuis ma petite enfance.

D'un pas tranquille mais rapide, je quittai l'église et suivis mon instinct jusqu'au saint des saints dissimulé quelque part dans les montagnes proches.

Les branches d'un cyprès agitées par le vent m'engagèrent à poursuivre mon chemin. Une vague silhouette apparut puis s'évanouit dans les ombres de la forêt. Je la suivis.

Tout en ce lieu enchanté vibrait telles les cordes d'un violoncelle sous l'archet d'un maître. De sa grâce éthérée le temps me transporta au-dessus des roches et des ravins dans l'après-midi finissant, chacun de mes pas semant une prière pour les événements qui allaient suivre. Comme par anticipation, j'accélérai l'allure tandis que je montais vers une étroite prairie qu'entouraient des sommets enneigés.

J'avançai jusqu'à l'extrémité de cette prairie, grisé par le son d'une chute d'eau. Derrière des murs de pierre, une colonne de brume tournoyait vers le haut et s'évaporait en arcs-en-ciel iridescents.

Dans ce solarium miroitant, je traversai un seuil entre deux mondes.

Les esprits élémentaires ouvraient d'autres chemins dans ma conscience. Par-delà le vernis de la réalité, un chœur de voix et de trompettes proclama mon retour dans ce sanctuaire de beauté. Les esprits dansaient autour de moi à l'instar de feuilles prises dans l'étreinte d'un tourbillon. Pour découvrir cette source d'inspiration cachée, il fallait bien plus que le temps d'une vie.

Tandis que je pénétrais dans ce temple de la nature les bras grands ouverts, mes genoux se dérobèrent sous moi et je me retrouvai au sol.

Souvenir après souvenir, ma vie passée se déversa comme une pluie sur mon âme assoiffée.

La vie au-delà de la mort m'était révélée. À cet instant, je fus transporté de joie – jusqu'à rejoindre les secrets d'une génération depuis longtemps oubliée.

J'avais retrouvé mon site sacré. Je fondis en larmes et je criai, étourdi d'extase :

« Tu es resté si longtemps suspendu dans l'espace silencieux entre mes rêves –

toi, le foyer de mon amour profond.

À présent, je me tiens ici, au sommet de ma gloire, chancelant dans la lumière de mon passé clandestin.

Si tel est ton désir, affranchis mes sens. Alors, je pourrai voir et entendre tous les secrets du monde. »

Le temps d'un battement de cœur, je fus alors soulevé entre deux univers. Je naviguai à travers les vastes domaines de la lumière. Et l'éternité me dévoila ses innombrables perspectives.

À cet instant, les éléments dispersés de la création se rassemblèrent à nouveau pour former une image claire du prophète étincelant dans la brume de la cascade. Comme si une force présente dans son être dirigeait ma volonté, je me sentis obligé de me lever et d'aller à sa rencontre.

Lorsque je fus proche de lui, il parla :

Je t'ai fait venir ici, dans la maison de ta mémoire.

De ce foyer tu t'es longtemps tenu éloigné. Mais vois, tu es là devant moi, bien vivant, et je me réjouis que tu aies compris mes signes.

Entre la mort et la naissance, silencieuse et inconsciente des saisons, ta forme corporelle reposait au sein de la terre tandis que ton esprit demeurait dans les cieux. Tu regardais alors par les fenêtres des constellations, et tu enviais les douleurs et les plaisirs mortels des humains.

Tu étais un chant d'oiseau prisonnier du silence. Et chaque nuit, tu avais le désir de fredonner un chant nouveau en hommage au jour.

C'est avec la poussière de la terre que tu as façonné ce désir pour regarder à nouveau le soleil en face.
Maintenant, tes racines s'enfoncent loin dans le sol qui t'a porté, et tu t'élèves au plus haut, là où la sagesse se condense pour former une pluie dans l'esprit.
Les graines des jours d'antan ont enfin fleuri.
Le fruit des âges a fermenté en un vin à l'âme pétillante — telle est la moisson de la patience.
Voici venu le jour de notre célébration.

« Comment peux-tu me connaître mieux que je ne me connais moi-même ? » demandai-je.
Et le prophète répondit :

Toi et moi sommes un en esprit.
Mais, au moment de ta naissance, tu as oublié qui tu étais. Et je veux que tu t'en souviennes.
Je suis venu mourir sous la forme de ton frère pour te rappeler à la maison.
Je te presse d'aller toujours plus haut pour que tu te souviennes de moi.

*Et tu sens ma pulsation au fond de ton cœur —
sinon tu ne serais pas aujourd'hui devant moi.*

*Pendant ton sommeil, je te murmure des secrets
oubliés, et parce que mon sang coule aussi dans tes
veines — tu te souviens.*

*À présent et à jamais, tu dois poursuivre ton
chemin en portant ma flamme dans ta poitrine.*

*Tes besoins changent au gré des saisons, et mon
amour demeure pour s'accorder à ton besoin le
plus profond. Mais toi seul peux avancer, nu et
solitaire, dans la liberté de ton cœur.*

*Viens plus près maintenant, abandonne-toi au
silence — là où nous ne sommes plus qu'un.*

Je me dévêtis et marchai à travers le nuage de
brume jusqu'au rideau liquide qui se déversa sur
moi.

Au milieu des rugissements de ce déluge, je
n'entendis plus que la voix silencieuse :

*N'oublie pas que tu demeures en moi pour tou-
jours, goutte d'eau infinie dans un océan infini.*

Ma source est sans fin, et ma grâce sans limites.

Lorsque tu dérives dans le sommeil, je te remets sur le chemin de la sérénité.
Et lorsque tu te réveilles, c'est au sein de ma présence que tu t'établis.
Je vis dans ton cœur et tu vis dans le mien.
Tu es mon rêve et je suis ton éveil.
À travers toi, je me pare de beauté.
À travers moi, tu es au-delà de tout ce qui peut être.

La soirée était avancée.

L'une après l'autre, les minutes passaient à mesure que la terre tournait le dos au soleil.

À nouveau, le jour avait rassemblé toute sa lumière pour accueillir la nuit.

Tandis que les ombres familières de l'obscurité s'enroulaient autour de moi, je commençai à sourire.

Je savais que tout était sacré et –

Sans Fin.

NOTE

Je désigne ici Khalil Gibran comme mon grand-oncle faute de trouver un terme plus adéquat pour décrire notre lien de parenté. J'ai rencontré Wahib Keyrouz, le conservateur du musée Khalil-Gibran à Bécharré, au Liban, afin d'étudier l'arbre généalogique des Gibran. Les archives remontent sur de nombreuses générations, jusqu'à faire apparaître cinq frères Gibran qui donnèrent chacun naissance à une branche familiale abondante.

Khalil et moi sommes deux feuilles issues de rameaux séparés du même arbre généalogique.

REMERCIEMENTS

L'écriture de ce livre m'a conduit à explorer plus profondément le grand mystère. À travers des rêves et des expériences de synchronicité, les éclairs de mon passé ont peu à peu surgi, jusqu'à ce que je puisse leur redonner forme dans ces pages. De tout cela je reste le témoin émerveillé.

Ma gratitude la plus profonde va à l'esprit de providence qui m'a appris à « jouer » avec l'ombre et la lumière.

Je remercie chaleureusement les nombreuses personnes qui m'ont aidé à faire naître ce livre : Lumyai Bonmai, Armand Altman, Gila Kuhlmann, Irene Hage, Elizabeth Rygard,

Robert Zenk, Ian Baker, Dik Darnell, Dorie Cofer, Gladys Haggar, Michelle Hansen, Maja Kasdan, Job Smulders, Maja Thuna, John Chatteris, Laura Moorehead, Bharat Rochlin, Shayla Spencer, Arjuna Noore, Zosia Sims, Jim Channon, Ann Ekeberg, John Schreiner, Dave Dawson, Simon Brunsdon, Nathon Crystal, Laura Eliseo, Neil Beechwood, Tony Krantz, Joel Haggar, Jonah Ross, Ariana Satayathum, Natalia Hojny et Arvid Schwenk.

Je remercie aussi mes agents : Greg Dinkin, Frank Scatoni et Whitney Lee.

Et mes éditeurs de Beyond Words et de Simon and Schuster : Cynthia Black, Richard Cohn, Lindsay Brown, Julie Steigerwaldt, Henri Covey et Ali McCart.

Merci à tous de m'avoir soutenu et d'avoir partagé ma vision.

TABLE

Le Retour du Prophète

Composition et mise en page

NORD COMPO
m u l t i m é d i a

CET OUVRAGE
A ÉTÉ REPRODUIT
ET ACHEVÉ D'IMPRIMER
SUR ROTO-PAGE
PAR L'IMPRIMERIE FLOCH
À MAYENNE EN SEPTEMBRE 2008

Nº d'édition. : L.01EHBN000235.N001. Nº d'impression : 71969.
Dépôt légal : octobre 2008.
Imprimé en France.